U0136796

中國美術全集

中國美術全集

卷軸畫 三

全國百佳圖书出版單位
ARTTIME 時代出版
時代出版傳媒股份有限公司
黄　山　書　社

目　　録

元 (公元一二七一年至公元一三六八年)

頁碼	名稱	時代	作者	來源	收藏地
605	山水圖	元	李士行		故宮博物院
605	蘭石圖	元	雪窗		日本私人處
606	枯木圖	元	柏子庭		日本私人處
606	碧梧蒼石圖	元	陸行直		故宮博物院
607	南枝春早圖	元	王冕		臺北故宮博物院
607	墨梅圖	元	王冕		上海博物館
608	駿馬圖	元	趙雍		臺北故宮博物院
609	人馬圖	元	趙雍		美國紐約大都會博物館
609	松溪釣艇圖	元	趙雍		故宮博物院
610	挾彈游騎圖	元	趙雍		故宮博物院
610	高峰元妙禪師像	元	趙雍		美國波士頓美術館
611	平安磐石圖	元	顧安		臺北故宮博物院
611	墨竹圖	元	顧安		上海博物館
612	幽篁秀石圖	元	顧安		故宮博物院
612	新篁圖	元	顧安		故宮博物院
613	晚香高節圖	元	柯九思		臺北故宮博物院
613	雙竹圖	元	柯九思		上海博物館
614	寒江獨釣圖	元	柯九思（傳）		日本私人處
615	伯牙鼓琴圖	元	王振鵬		故宮博物院
616	龍池競渡圖	元	王振鵬		臺北故宮博物院
618	雙勾水仙圖	元	王迪簡		故宮博物院
619	桃竹錦鷄圖	元	王淵		山西博物院
620	山桃錦鷄圖	元	王淵		故宮博物院
621	竹石集禽圖	元	王淵		上海博物館
621	松亭會友圖	元	王淵		臺北故宮博物院
622	古木飛泉圖	元	張舜咨		臺北故宮博物院
622	樹石圖	元	張舜咨		臺北故宮博物院
623	鷹檜圖	元	張舜咨 雪界翁		故宮博物院
623	丹臺春曉圖	元	陸廣		美國紐約大都會博物館
624	仙山樓觀圖	元	陸廣		臺北故宮博物院
625	寒山拾得圖	元	因陀羅		日本東京國立博物館
625	智常禪師圖	元	因陀羅		日本東京静嘉堂文庫美術館
626	臨李公麟九歌圖	元	張渥		吉林省博物院
628	九歌圖	元	張渥		上海博物館

頁碼	名稱	時代	作者	來源	收藏地
629	竹西草堂圖	元	張渥		遼寧省博物館
630	瑶池仙慶圖	元	張渥		臺北故宫博物院
630	雪夜訪戴圖	元	張渥		上海博物館
631	樓閣山水圖	元	孫君澤		日本東京静嘉堂文庫美術館
632	揭鉢圖	元	朱玉		上海博物館
634	渾淪圖	元	朱德潤		上海博物館
634	秀野軒圖	元	朱德潤		故宫博物院
636	林下鳴琴圖	元	朱德潤		臺北故宫博物院
637	松蔭聚飲圖	元	唐棣		上海博物館
637	摩詰詩意圖	元	唐棣		美國紐約大都會博物館
638	霜浦歸漁圖	元	唐棣		臺北故宫博物院
639	雪港捕魚圖	元	唐棣		上海博物館
639	滄江横笛圖	元	盛懋		南京博物院
640	秋江待渡圖	元	盛懋		故宫博物院
640	松石圖	元	盛懋		故宫博物院
641	秋林高士圖	元	盛懋		臺北故宫博物院
641	溪山清夏圖	元	盛懋		臺北故宫博物院
642	秋舸清嘯圖	元	盛懋		上海博物館
643	坐看雲起圖	元	盛懋		故宫博物院
643	秋江垂釣圖	元	盛懋		上海博物館
644	草蟲圖	元	堅白子		故宫博物院
646	白雲深處圖	元	方從義		上海博物館
647	高高亭圖	元	方從義		臺北故宫博物院
648	武夷放棹圖	元	方從義		故宫博物院
648	神岳瓊林圖	元	方從義		臺北故宫博物院
649	太白瀧湫圖	元	方從義		日本大阪市立美術館
649	棘竹幽禽圖	元	張彦輔		美國堪薩斯納爾遜－艾金斯美術館
650	水竹居圖	元	倪瓚		中國國家博物館
650	六君子圖	元	倪瓚		上海博物館
651	漁莊秋霽圖	元	倪瓚		上海博物館
652	虞山林壑圖	元	倪瓚		美國紐約大都會博物館
652	紫芝山房圖	元	倪瓚		臺北故宫博物院
653	梧竹秀石圖	元	倪瓚		故宫博物院
653	江亭山色圖	元	倪瓚		臺北故宫博物院

頁碼	名稱	時代	作者	來源	收藏地
654	雨後空林圖	元	倪瓚		臺北故宮博物院
655	竹梢圖	元	倪瓚		上海博物館
655	竹枝圖	元	倪瓚		故宮博物院
656	竹石圖	元	王蒙		江蘇省蘇州博物館
656	夏山高隱圖	元	王蒙		故宮博物院
657	青卞隱居圖	元	王蒙		上海博物館
657	秋山草堂圖	元	王蒙		臺北故宮博物院
658	太白山圖	元	王蒙		遼寧省博物館
660	谷口春耕圖	元	王蒙		臺北故宮博物院
660	春山讀書圖	元	王蒙		上海博物館
661	具區林屋圖	元	王蒙		臺北故宮博物院
662	梅竹圖	元	吴瓘		遼寧省博物館
662	隔岸觀山圖	元	趙衷		故宮博物院
663	人馬圖	元	趙麟		美國紐約大都會博物館
664	漢苑圖	元	李容瑾		臺北故宮博物院
665	岳陽樓圖	元	夏永		故宮博物院
665	滕王閣圖	元	夏永		美國華盛頓弗利爾美術館
666	豐樂樓圖	元	夏永		故宮博物院
667	平林遠山圖	元	沈鉉		故宮博物院
667	溪閣流泉圖	元	姚廷美		湖北省博物館
668	雪江漁艇圖	元	姚廷美		故宮博物院
669	春山清霽圖	元	馬琬		臺北故宮博物院
670	暮雲詩意圖	元	馬琬		上海博物館
671	喬岫幽居圖	元	馬琬		臺北故宮博物院
671	竹石圖	元	劉秉謙		遼寧省旅順博物館
672	墨梅圖	元	吴太素		日本私人處
672	松軒春靄圖	元	張羽		美國紐約大都會博物館
673	枯荷鸂鶒圖	元	張中		臺北故宮博物院
673	芙蓉鴛鴦圖	元	張中		上海博物館
674	吴淞春水圖	元	張中		上海博物館
674	柳燕圖	元	盛昌年		故宮博物院
675	孔雀芙蓉圖	元	邊魯		美國紐約大都會博物館
675	起居平安圖	元	邊魯		天津博物館
677	春消息圖	元	鄒復雷		美國華盛頓弗利爾美術館

頁碼	名稱	時代	作者	來源	收藏地
678	楊竹西小像	元	王繹 倪瓚		故宮博物院
678	陸羽烹茶圖	元	趙原		臺北故宮博物院
680	合溪草堂圖	元	趙原		上海博物館
680	溪亭秋色圖	元	趙原		臺北故宮博物院
681	墨竹圖	元	方厓		臺北故宮博物院
681	洛神圖	元	衛九鼎		臺北故宮博物院
682	瀟湘八景圖	元	張遠		上海博物館
682	疏林茅屋圖	元	張觀		故宮博物院
684	山林情趣圖	元	張觀		故宮博物院
684	山水圖	元	林卷阿		臺北故宮博物院
685	滄浪獨釣圖	元	盛著		遼寧省旅順博物館
685	柳溏聚禽圖	元	夏叔文		遼寧省博物館
686	玄門十子圖	元	華祖立		上海博物館
686	羅漢圖	元	蔡山		日本東京國立博物館
687	仿巨然山水圖	元	佚名		故宮博物院
687	仿郭熙山水圖	元	佚名		山東省濟南市博物館
688	仿米氏雲山圖	元	佚名		臺北故宮博物院
688	雪景山水圖	元	佚名		故宮博物院
689	千岩萬壑圖	元	佚名		天津博物館
689	寒林圖	元	佚名		臺北故宮博物院
690	山水圖	元	佚名		中央美術學院
690	松齋静坐圖	元	佚名		南京博物院
691	秋景山水圖	元	佚名		故宮博物院
691	雪溪晚渡圖	元	佚名		南京博物院
692	松溪林屋圖	元	佚名		南京博物院
692	遥岑玉樹圖	元	佚名		故宮博物院
693	東山絲竹圖	元	佚名		故宮博物院
693	青山畫閣圖	元	佚名		上海朵雲軒
694	扁舟傲睨圖	元	佚名		遼寧省博物館
695	山水圖	元	佚名		故宮博物院
696	雪溪賣魚圖	元	佚名		上海博物館
696	溪山亭榭圖	元	佚名		故宮博物院
697	松蔭策杖圖	元	佚名		故宮博物院
697	柳院消暑圖	元	佚名		故宮博物院

頁碼	名稱	時代	作者	來源	收藏地
698	山溪水磨圖	元	佚名		遼寧省博物館
698	盧溝運筏圖	元	佚名		中國國家博物館
699	廣寒宫圖	元	佚名		上海博物館
700	明皇避暑宫圖	元	佚名（舊題郭忠恕）		日本大阪市立美術館
701	懸圃春深圖	元	佚名		上海博物館
701	蓬瀛仙館圖	元	佚名		故宫博物院
702	仙山樓閣圖	元	佚名		重慶市博物館
702	龍舟奪標圖	元	佚名（舊傳王振鵬）		故宫博物院
703	山殿賞春圖	元	佚名		上海博物館
704	搜山圖	元	佚名		故宫博物院
706	夢蝶圖	元	佚名		美國私人處
706	四烈婦圖	元	佚名		廣東省廣州美術館
708	九歌圖	元	佚名		黑龍江省博物館
709	唐僧取經圖–玉肌夫人	元	佚名（舊題王振鵬）		日本私人處
710	元太祖像	元	佚名		臺北故宫博物院
710	元世祖后像	元	佚名		臺北故宫博物院
711	十王圖	元	佚名		日本神奈川縣立歷史博物館
711	中峰明本像	元	佚名		日本京都慈照院
712	揭鉢圖	元	佚名		故宫博物院
712	番王禮佛圖	元	佚名		故宫博物院
714	羅漢圖	元	佚名		浙江省杭州市西泠印社
716	羅漢像	元	佚名		南京大學考古與藝術博物館
716	四睡圖	元	佚名		日本東京國立博物館
717	杏花鴛鴦圖	元	佚名		上海博物館
717	牡丹圖	元	佚名		日本京都高桐院
718	梅花水仙圖	元	佚名		上海博物館
720	林原雙羊圖	元	佚名		四川博物院
721	魚藻圖	元	佚名		臺北故宫博物院
721	六魚圖	元	佚名		美國波士頓美術館

明 (公元一三六八年至公元一六四四年)

頁碼	名稱	時代	作者	來源	收藏地
722	華山圖	明	王履		故宮博物院等
723	蜀山圖	明	徐賁		臺北故宮博物院
723	秋林草亭圖	明	徐賁		上海博物館
724	丹山紀行圖	明	顧園		上海博物館
726	隱居圖	明	王紱		故宮博物院
727	山亭文會圖	明	王紱		臺北故宮博物院
727	古木竹石圖	明	王紱		臺北故宮博物院
728	北京八景圖	明	王紱		中國國家博物館
729	觀音像	明	王紱		遼寧省博物館
730	梅莊書舍圖	明	林垍		故宮博物院
731	洪崖山房圖	明	陳宗淵		故宮博物院
732	胎仙圖	明	邊景昭		臺北故宮博物院
734	雪梅雙鶴圖	明	邊景昭		廣東省博物館
734	三友百禽圖	明	邊景昭		故宮博物院
735	東原草堂圖	明	謝縉		浙江省博物館
735	雲陽早行圖	明	謝縉		上海博物館
736	杏園雅集圖	明	謝環		江蘇省鎮江博物館等
738	香山九老圖	明	謝環		美國克里夫蘭美術館
739	歸去來辭–撫孤松而盤桓圖	明	李在		遼寧省博物館
740	琴高乘鯉圖	明	李在		上海博物館
740	山村圖	明	李在		故宮博物院
741	鳳池春意圖	明	夏㫤		廣東省博物館
741	戛玉秋聲圖	明	夏㫤		上海博物館
742	淇澳圖	明	夏㫤		故宮博物院
744	淇水清風圖	明	夏㫤		故宮博物院
745	瀟湘風雨圖	明	夏㫤		上海博物館
746	溪堂詩意圖	明	戴進		遼寧省博物館
747	溪橋策蹇圖	明	戴進		臺北故宮博物院
747	洞天問道圖	明	戴進		故宮博物院

頁碼	名稱	時代	作者	來源	收藏地
748	達摩六祖圖	明	戴進		遼寧省博物館
750	長松五鹿圖	明	戴進		臺北故宮博物院
750	關山行旅圖	明	戴進		故宮博物院
751	雪夜訪戴圖	明	周文靖		臺北故宮博物院
751	古木寒鴉圖	明	周文靖		上海博物館
752	湖山平遠圖	明	顔宗		廣東省博物館
753	友松圖	明	杜瓊		故宮博物院
754	游心物表圖	明	杜瓊		上海博物館
754	脱屣名區圖	明	杜瓊		上海博物館
755	山水圖	明	杜瓊		故宮博物院
755	芙蓉游鵝圖	明	孫隆		故宮博物院
756	花鳥草蟲圖	明	孫隆		上海博物館
757	寫生圖	明	孫隆		臺北故宮博物院
758	戲猿圖	明	朱瞻基		臺北故宮博物院
758	苦瓜鼠圖	明	朱瞻基		故宮博物院
759	冰魂冷蕊圖	明	王謙		天津博物館
759	梅花圖	明	王謙		故宮博物院
760	魚藻圖	明	繆輔		故宮博物院
760	柳蔭雙駿圖	明	胡聰		故宮博物院
761	貨郎圖	明	計盛		故宮博物院
761	黄鶴樓圖	明	安正文		上海博物館
762	聘龐圖	明	倪端		故宮博物院
763	礪劍圖	明	黄濟		故宮博物院
763	鷹擊天鵝圖	明	殷偕		南京博物院
764	關羽擒將圖	明	商喜		故宮博物院
765	秋林觀瀑圖	明	沈貞		江蘇省蘇州博物館
765	墨梅圖	明	陳録		天津博物館
766	孤山烟雨圖	明	陳録		故宮博物院
768	歸去來辭–或棹孤舟圖	明	夏芷		遼寧省博物館
768	溪山真賞圖	明	金潤		天津博物館
770	夏雲欲雨圖	明	劉珏		故宮博物院
770	清白軒圖	明	劉珏		臺北故宮博物院
771	山茶白羽圖	明	林良		上海博物館
772	灌木集禽圖	明	林良		故宮博物院

頁碼	名稱	時代	作者	來源	收藏地
774	秋林聚禽圖	明	林良		廣東省廣州美術館
774	蘆雁圖	明	林良		故宮博物院
775	雙鷹圖	明	林良		廣東省博物館
775	春塢村居圖	明	馬軾		臺北故宮博物院
776	歸去來辭–問征夫以前路圖	明	馬軾		遼寧省博物館
776	歸去來辭–稚子候門圖	明	馬軾		遼寧省博物館
778	秋江漁隱圖	明	姚綬		故宮博物院
778	竹石圖	明	姚綬		故宮博物院
779	桃花源圖	明	周臣		江蘇省蘇州博物館
780	辟纑圖	明	周臣		天津博物館
782	柴門送客圖	明	周臣		南京博物院
782	香山九老圖	明	周臣		天津博物館
783	秋林閑話圖	明	周臣		上海博物館
783	寒林激湍圖	明	周臣		上海博物館
784	廬山高圖	明	沈周		臺北故宮博物院
785	東莊圖	明	沈周		南京博物院
786	湖山佳趣圖	明	沈周		浙江省博物館
788	匡山秋霽圖	明	沈周		上海博物館
788	松石圖	明	沈周		故宮博物院
789	墨菜辛夷圖	明	沈周		故宮博物院
790	花鳥圖	明	沈周		江蘇省蘇州博物館
791	卧游圖	明	沈周		故宮博物院
792	寫生圖	明	沈周		臺北故宮博物院
794	題竹圖	明	杜堇		故宮博物院
794	玩古圖	明	杜堇		臺北故宮博物院
796	仕女圖	明	杜堇		上海博物館
797	北觀圖	明	陶成		上海博物館
798	蟾宫月兔圖	明	陶成		故宮博物院
799	雜畫	明	郭詡		上海博物館
800	江夏四景圖	明	郭詡		湖北省武漢市文物商店
803	長江萬里圖	明	吴偉		故宮博物院
806	漁樂圖	明	吴偉		故宮博物院
807	雪漁圖	明	吴偉		湖北省博物館
807	灞橋風雪圖	明	吴偉		故宮博物院

頁碼	名稱	時代	作者	來源	收藏地
808	鐵笛圖	明	吴偉		上海博物館
809	武陵春圖	明	吴偉		故宫博物院
810	起蛟圖	明	汪肇		故宫博物院
810	柳禽白鷳圖	明	汪肇		故宫博物院
811	漁舟讀書圖	明	蔣嵩		故宫博物院
811	無盡溪山圖	明	蔣嵩		上海博物館
812	山水圖	明	王世昌		臺北故宫博物院
813	木棉圖	明	孫艾		故宫博物院
814	雜畫	明	張路		上海博物館
816	吹簫女仙圖	明	張路		故宫博物院
816	風雨歸莊圖	明	張路		故宫博物院
817	蒼鷹逐兔圖	明	張路		南京博物院
817	寒山圖	明	王諤		山東省博物館
818	灌木叢筱圖	明	唐寅		江蘇省蘇州博物館
818	騎驢歸思圖	明	唐寅		上海博物館
819	山路松聲圖	明	唐寅		臺北故宫博物院
820	守耕圖	明	唐寅		臺北故宫博物院
820	事茗圖	明	唐寅		故宫博物院
822	溪山漁隱圖	明	唐寅		臺北故宫博物院
824	看泉聽風圖	明	唐寅		南京博物院
824	渡頭帘影圖	明	唐寅		上海博物館
825	春山伴侣圖	明	唐寅		上海博物館
825	秋風紈扇圖	明	唐寅		上海博物館
826	孟蜀宫妓圖	明	唐寅		故宫博物院
827	椿樹雙雀圖	明	唐寅		江蘇省吴江博物館
827	湘君湘夫人圖	明	文徵明		故宫博物院
828	惠山茶會圖	明	文徵明		故宫博物院
828	猗蘭室圖	明	文徵明		故宫博物院
830	霜柯竹石圖	明	文徵明		上海博物館
830	墨竹圖	明	文徵明		吉林省博物院
831	寒林鍾馗圖	明	文徵明		臺北故宫博物院
832	石湖清勝圖	明	文徵明		上海博物館
832	東園圖	明	文徵明		故宫博物院
834	茂松清泉圖	明	文徵明		臺北故宫博物院

頁碼	名稱	時代	作者	來源	收藏地
834	江南春圖	明	文徵明		臺北故宮博物院
835	萬壑争流圖	明	文徵明		南京博物院
835	古木寒泉圖	明	文徵明		臺北故宮博物院
836	虎山橋圖	明	文徵明		南京博物院
838	萬壑争流圖	明	文徵明		浙江省寧波市天一閣博物館
838	蘭竹圖	明	文徵明		臺北故宮博物院
839	緑蔭清話圖	明	文徵明		故宮博物院
839	織女圖	明	張靈		上海博物館
840	秋林高士圖	明	張靈		故宮博物院
840	菊石野兔圖	明	徐霖		故宮博物院
841	獅頭鵝圖	明	吕紀		遼寧省博物館
842	柳陰白鷺圖	明	吕紀		山東省博物館
842	梅茶雉雀圖	明	吕紀		浙江省博物館
843	桂菊山禽圖	明	吕紀		故宮博物院
844	秋渚水禽圖	明	吕紀		臺北故宮博物院
844	月明宿雁圖	明	吕紀		江西省婺源縣博物館
845	寒雪山鷄圖	明	吕紀		臺北故宮博物院
845	松院閑吟圖	明	朱端		天津博物館
846	烟江晚眺圖	明	朱端		故宮博物院
847	竹石圖	明	朱端		故宮博物院
847	積雨重林圖	明	陳道復		上海博物館
848	罨畫山圖	明	陳道復		天津博物館
850	雪渚驚鴻圖	明	陳道復		故宮博物院
851	合歡葵圖	明	陳道復		故宮博物院
852	花卉圖	明	陳道復		重慶市博物館
854	花果圖	明	陳道復		上海博物館
856	洛陽春色圖	明	陳道復		南京博物院
857	文會圖	明	謝時臣		上海博物館
858	江山勝覽圖	明	謝時臣		上海博物館
860	武當霽雪圖	明	謝時臣		上海博物館
861	溪亭逸思圖	明	謝時臣		故宮博物院
861	林巒秋霽圖	明	謝時臣		臺北故宮博物院
862	梅石水仙圖	明	陸治		南京博物院
863	竹林長夏圖	明	陸治		故宮博物院

頁碼	名稱	時代	作者	來源	收藏地
864	臨王履華山圖	明	陸治		上海博物館
865	幽居樂事圖	明	陸治		故宮博物院
866	花溪漁隱圖	明	陸治		臺北故宮博物院
867	醉酒圖	明	萬邦治		廣東省博物館
868	秋林覓句圖	明	萬邦治		天津博物館
868	雪梅山禽圖	明	雷濬		天津博物館

陳　琳

元代畫家。錢塘（今浙江杭州）人。字仲美。工書善畫，長于山水、人物。曾師法趙孟頫，尤善臨摹古迹。

溪鳧圖

元
陳琳
高35.7、寬47.5厘米。
紙本，設色。
現藏臺北故宮博物院。

樹石圖

元
陳琳
高30.7、寬49.7厘米。
紙本，設色。
現藏上海博物館。

商　琦（公元？－1323年）

元代畫家。曹州濟陰（今山東菏澤）人。字德符，號壽巖。官至集賢殿學士、秘書卿。初工壁畫，後善山水，兼工墨竹。

春山圖

元
商琦
高39.6、寬214.5厘米。
絹本，設色。
現藏故宮博物院。

黄公望（公元1269－1354年）

元代畫家。平江常熟（今屬江蘇）人。本姓陸，名堅，後出繼永嘉（治今浙江温州）黄氏，改姓黄，字子久，號一峰、大痴道人等。工畫山水，師法董源、巨然，晚年博采衆長，創淺絳畫法，自成一家。與吴鎮、倪瓚、王蒙并稱“元四家”，對明、清山水畫影響甚大。著有《寫山水訣》。

九峰雪霽圖

元

黄公望

高116.4、寬54.8厘米。

絹本，水墨。

現藏故宫博物院。

天池石壁圖

元
黃公望
高139.4、寬57.3厘米。
絹本，設色。
現藏故宮博物院。

富春大嶺圖

元
黃公望
高74、寬36厘米。
紙本，水墨。
現藏南京博物院。

溪山雨意圖（上圖）

元

黄公望

高26.9、寬106.5厘米。

紙本，水墨。

現藏中國國家博物館。

快雪時晴圖（下圖）

元
黄公望
高29.7、寬104.6厘米。
紙本，水墨。
現藏故宫博物院。

丹崖玉樹圖

元

黄公望

高101.4、寬43.8厘米。

紙本，設色。

現藏故宫博物院。

剩山圖

元

黄公望

高31.8、寬51.4厘米。

紙本，水墨。此卷爲《富春山居圖》的卷首部分。

現藏浙江省博物館。

富春山居圖

元

黃公望

高32.9、寬589.2厘米。

紙本，設色。

現藏臺北故宫博物院。

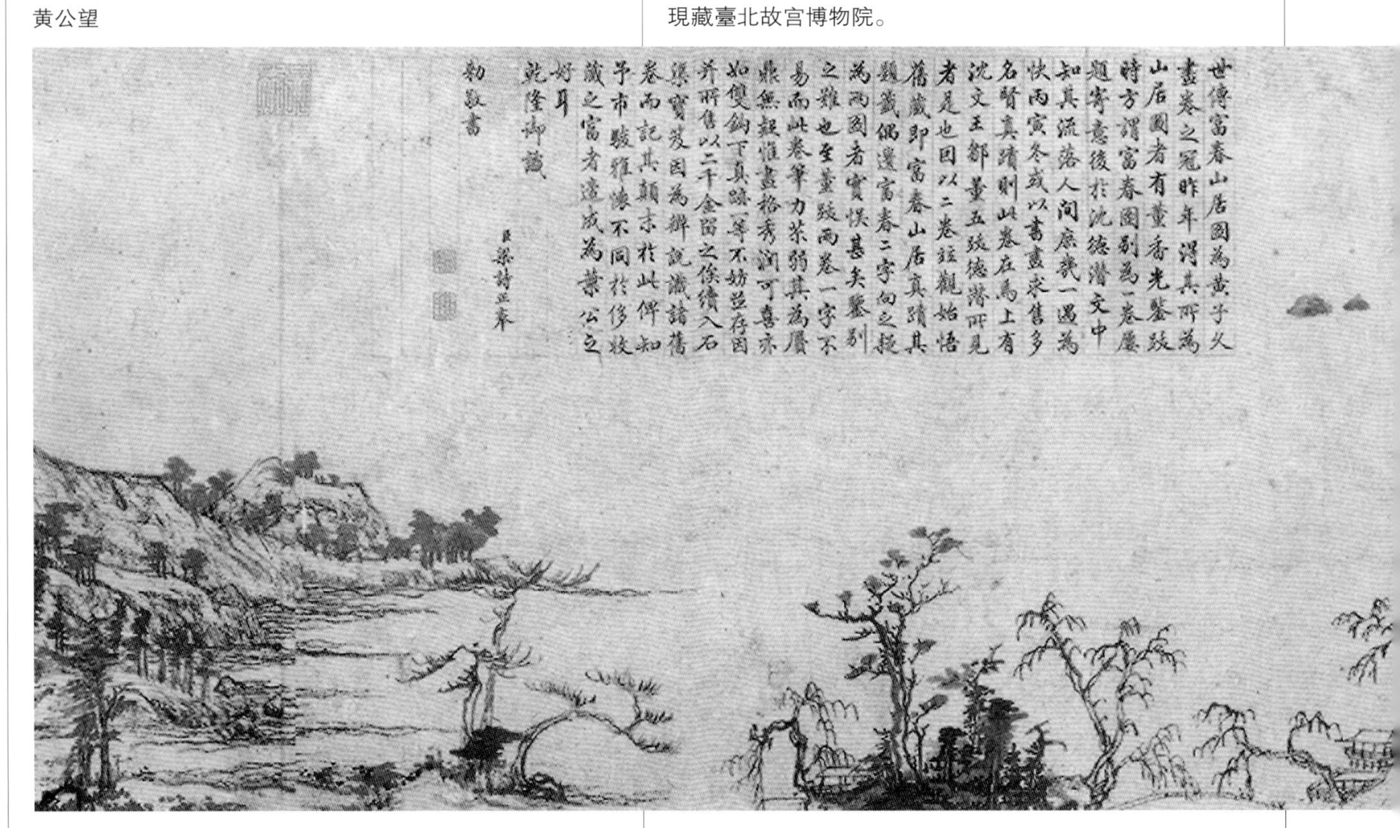

富春山居圖之一

富春山居圖之二

富春山居圖之三

富春山居圖之四

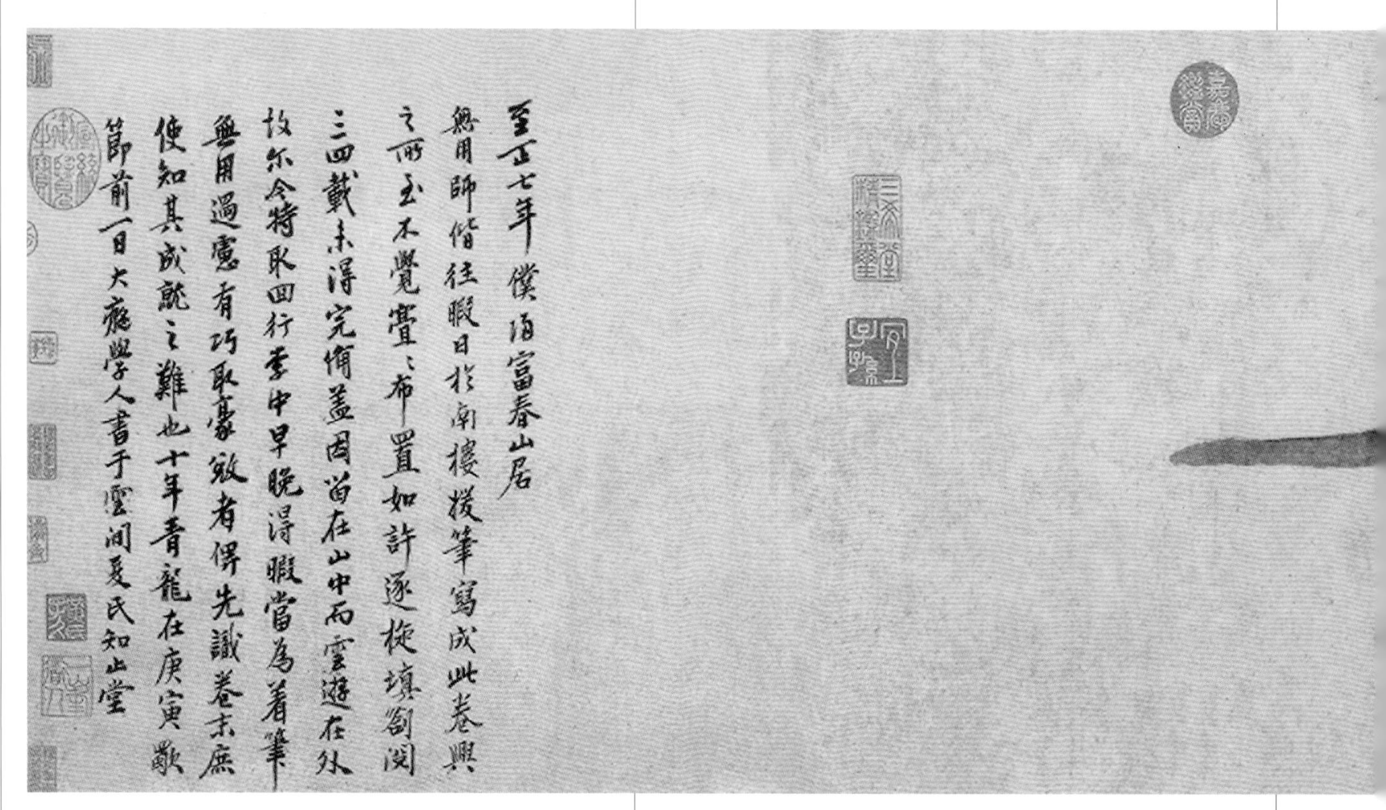
至正七年僕歸富春山居
無用師偕往暇日於南樓援筆寫成此卷興
之所至不覺亹亹布置如許逐旋填劄閱
三四載未得完備蓋因留在山中而雲遊在外
故尔今特取回行李中早晚得暇當為著筆
無用過慮有巧取豪敓者俾先識卷末庶
使知其成就之難也十年青龍在庚寅歜
節前一日大癡學人書于雲間夏氏知止堂

富春山居圖之五

富春山居圖之六

曹知白（公元1272－1355年）

元代畫家。華亭（今上海松江）人。字又玄，一字貞素，别號雲西。至元中曾任昆山教諭。工書善畫，山水畫受趙孟頫影響，而趨向李成、郭熙。晚年筆法簡淡疏秀，自成一格。

雪山圖

元
曹知白
高97.1、寬55.3厘米。
絹本，水墨。
現藏故宫博物院。

疏松幽岫圖

元
曹知白
高74.5、寬27.8厘米。
紙本，水墨。
現藏故宫博物院。

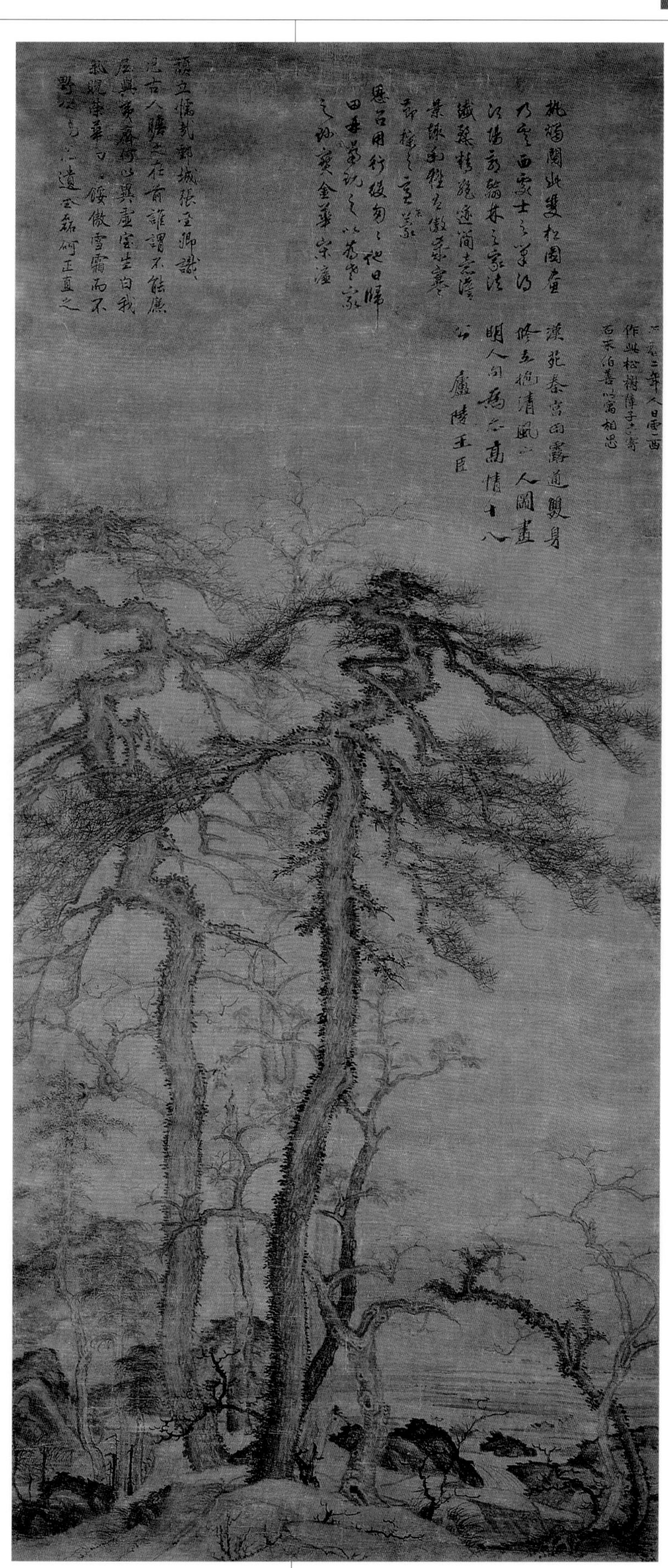

雙松圖

元

曹知白

高132、寬57.4厘米。

絹本，水墨。

現藏臺北故宮博物院。

山水圖

元

曹知白

高86.1、寬34.3厘米。

紙本，水墨。

現藏臺北故宮博物院。

葛叔英

元代畫家。號松田。善畫松鼠。

枯木栗鼠圖

元

葛叔英

高98.4、寬33.8厘米。

紙本，水墨。

現藏日本東京國立博物館。

吴　鎮（公元1280－1354年）

元代畫家。嘉興（今屬浙江）人。字仲圭，號梅花道人。一生清貧不仕。山水畫師法董源、巨然，善用濕墨表現山川林木的鬱茂景色。墨竹師法文同。爲“元四家”之一。

秋江漁隱圖

元
吴鎮
高189.1、寬88.5厘米。
絹本，水墨。
現藏臺北故宫博物院。

漁父圖（局部）

元

吴鎮

全圖高33、寬651.6厘米。

紙本，水墨。

現藏上海博物館。

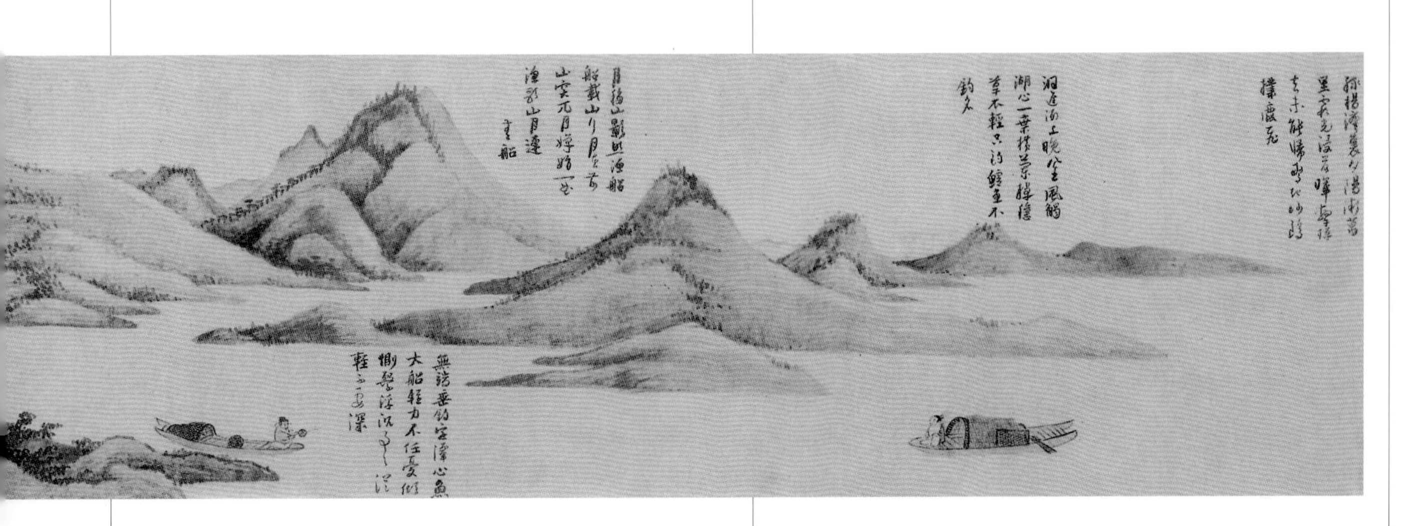

中山圖

元
吴鎮
高26.4、寬90.7厘米。
紙本，水墨。
現藏臺北故宫博物院。

雙松圖

元

吳鎮

高180.1、寬111.4厘米。

絹本，水墨。

現藏臺北故宮博物院。

松泉圖（右圖）

元

吳鎮

高105.6、寬31.7厘米。

紙本，水墨。

現藏南京博物院。

漁父圖

元

吳鎮

高84.7、寬29.7厘米。

紙本，水墨。

現藏故宮博物院。

蘆花寒雁圖

元

吳鎮

高83.3、寬27.8厘米。

絹本，水墨。

現藏故宮博物院。

墨竹譜（選四開）

元

吴鎮

高53、寬68.5厘米。

紙本，水墨。

共十二開。

現藏臺北故宫博物院。

墨竹譜之一

墨竹譜之二

墨竹譜之三

墨竹譜之四

墨梅圖

元

吴鎮

高29.6、寬35厘米。

紙本，水墨。

現藏遼寧省博物館。

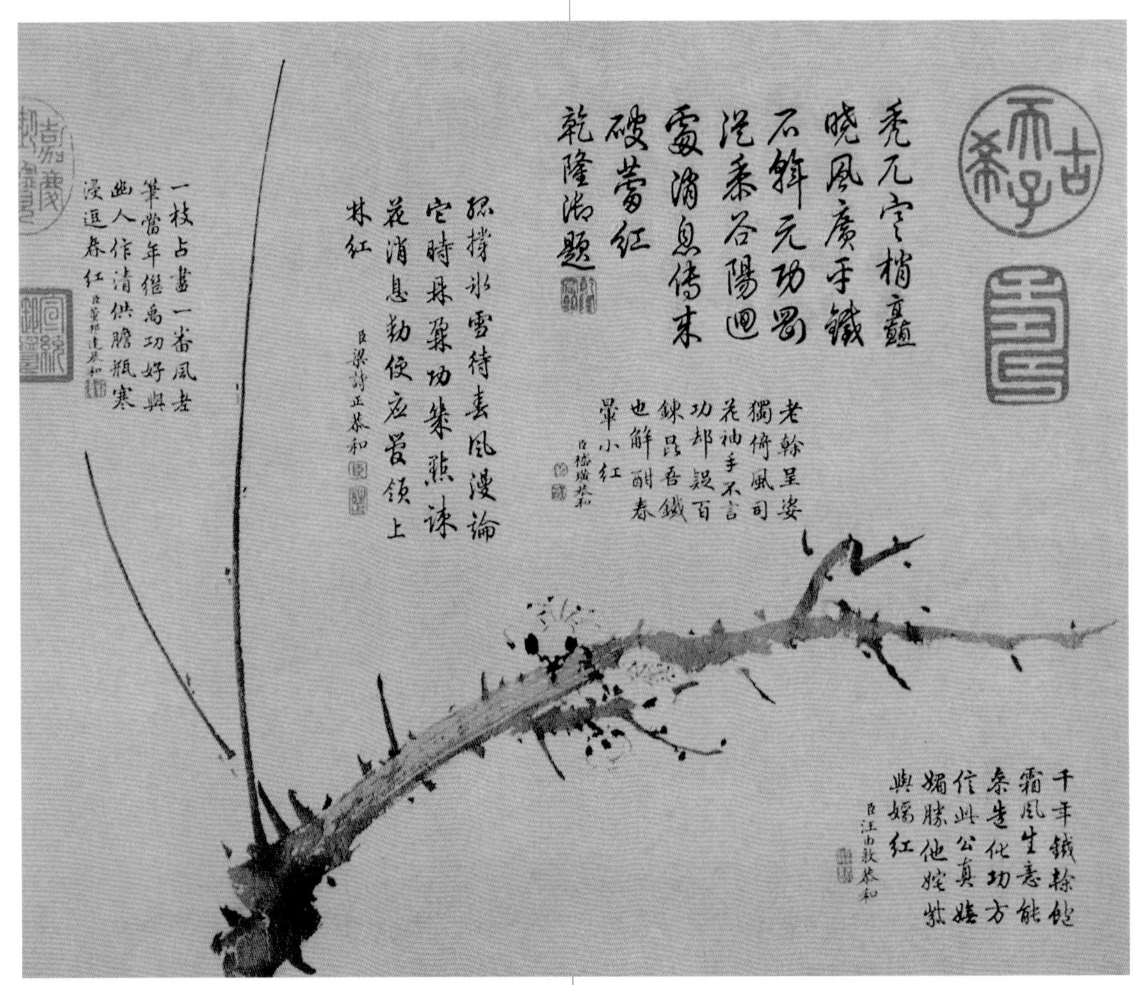

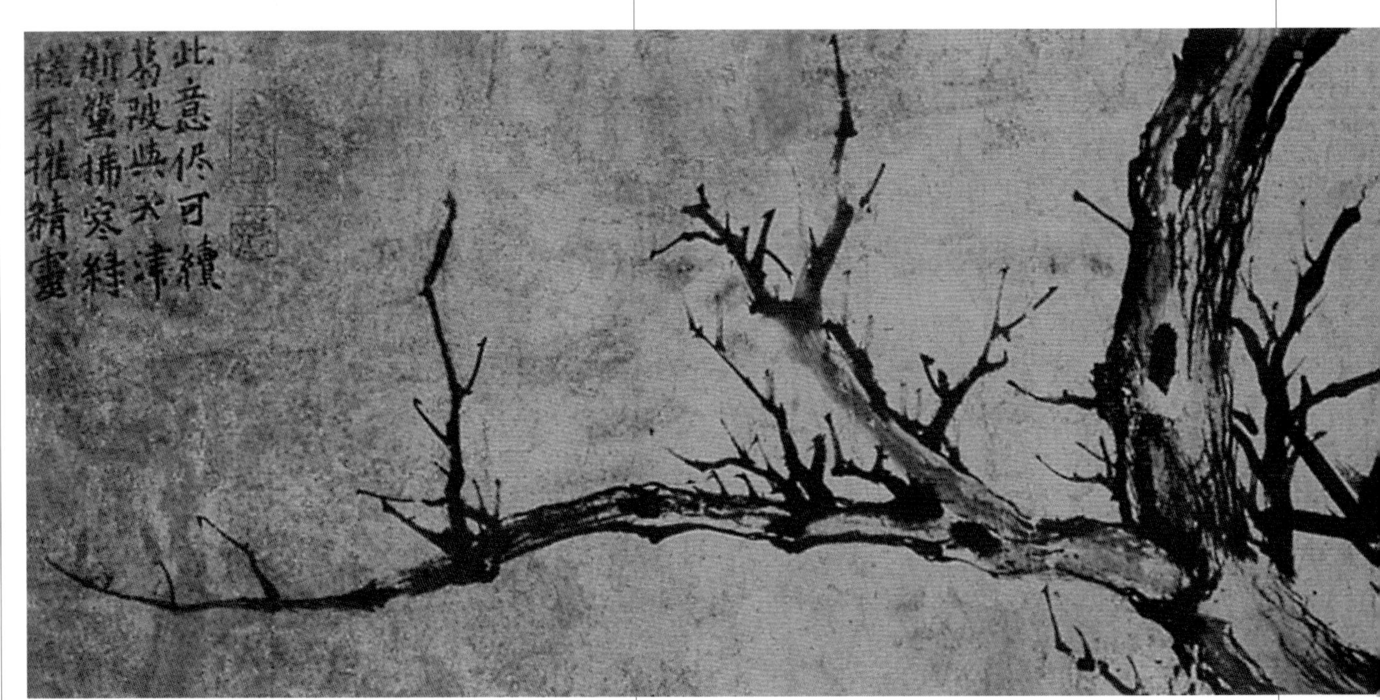

李士行（公元1281－1328年）

元代畫家。大都（今北京）人。字遵道。李衎之子。承家學并師法趙孟頫，善畫竹木和山水。

竹石圖

元
李士行
高170、寬92.3厘米。
絹本，水墨。
現藏遼寧省博物館。

郭畀（公元1280－1335年）

元代畫家。先世居洺水（今河北曲周東南），靖康後避亂丹徒（今江蘇鎮江），四世相傳，遂爲丹徒人。字天錫，號思退。江浙行省辟充掾史。工書善畫，書法學趙孟頫，山水有米家風，尤善竹木窠石。

幽篁枯木圖

元
郭畀
高33、寬106厘米。
紙本，水墨。
現藏日本京都國立博物館。

古木叢篁圖

元

李士行

高169.6、寬100.4厘米。

絹本，水墨。

現藏上海博物館。

山水圖

元

李士行

高106.2、寬52.7厘米。

絹本，水墨。

現藏故宮博物院。

雪　窗（公元? – 約1352年）

元代畫家。松江（今上海）人。俗姓曹，號雪窗，法號普明。擅畫蘭竹。其風格在日本影響甚大。

蘭石圖

元

雪窗

高97.2、寬54.5厘米。

絹本，水墨。

現藏日本私人處。

柏子庭（公元1282－1354年）

元代畫家。僧人，慶元（今浙江寧波）人。俗姓史，法號祖柏，號子庭。善畫，與普明齊名。

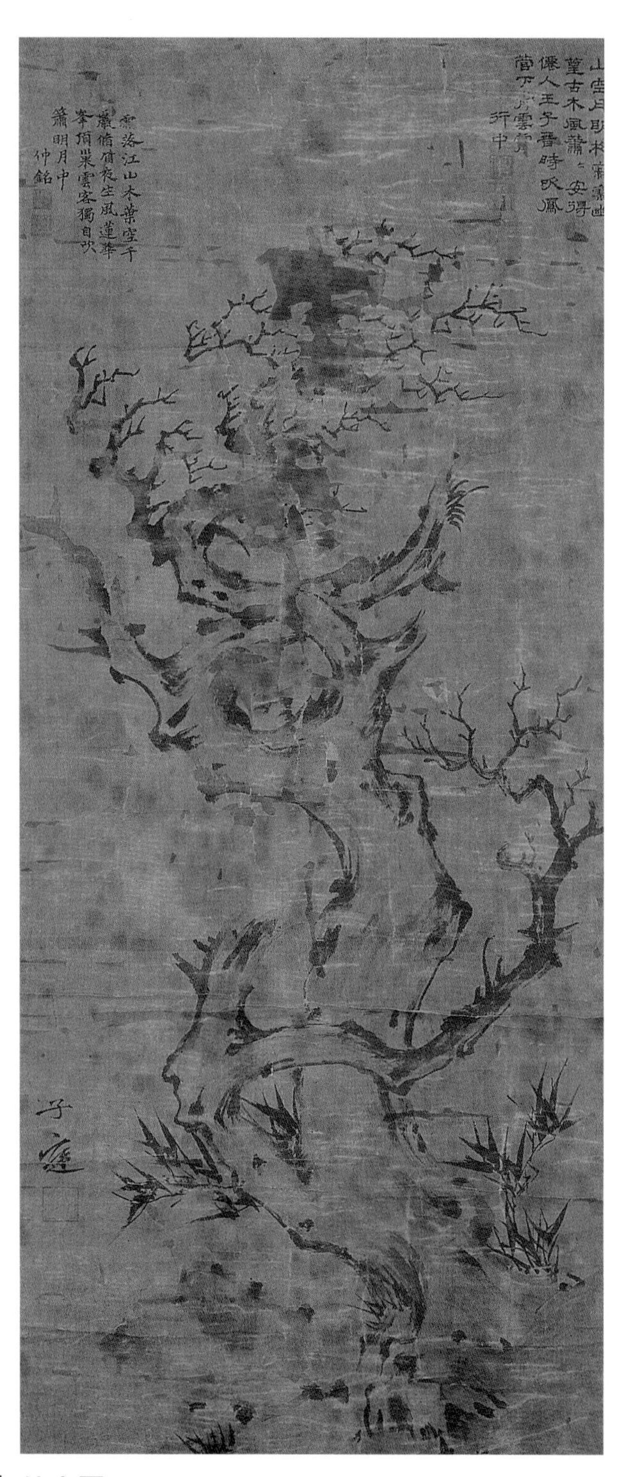

枯木圖

元

柏子庭

高115.5、寬50.7厘米。

絹本，水墨。

現藏日本私人處。

陸行直

元代畫家。吴江（今屬江蘇）人。字季道。能書善畫，爲人所稱。

碧梧蒼石圖

元

陸行直

高107、寬53.2厘米。

絹本，設色。

現藏故宫博物院。

王　冕（公元？－1359年）

元代畫家。諸暨（今屬浙江）人。字元章，號煮石山農、會稽外史、梅花屋主等。工畫墨梅，學揚無咎。亦善寫竹石。

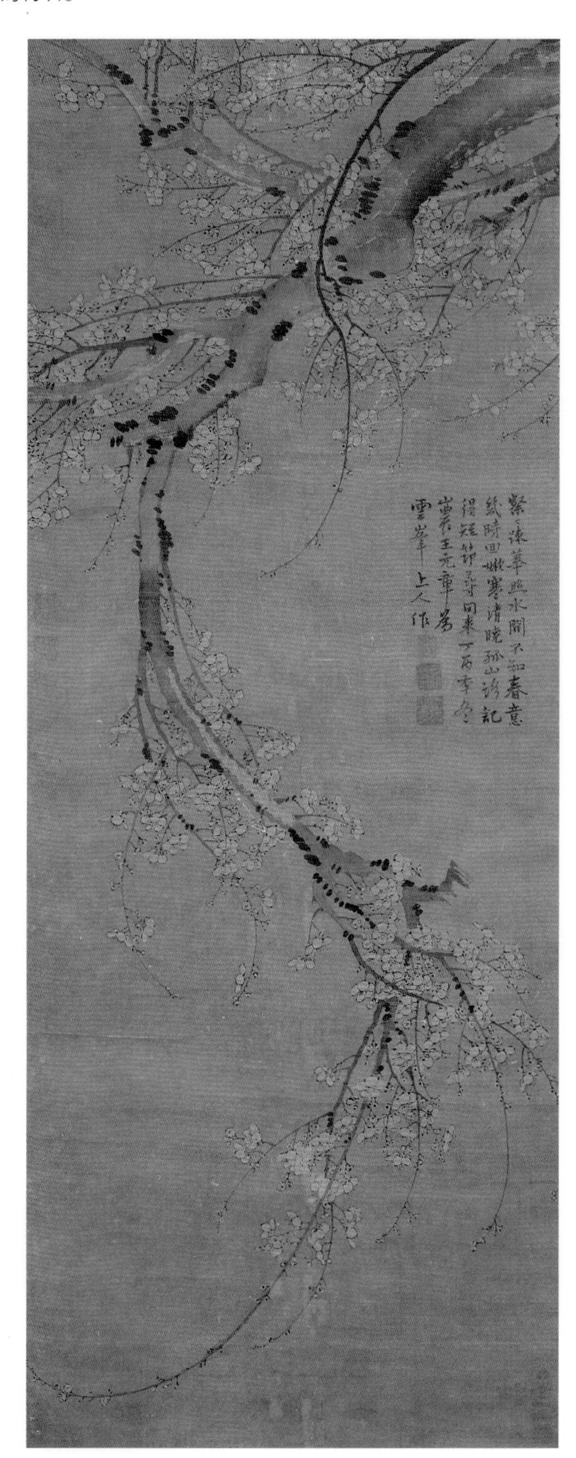

南枝春早圖

元

王冕

高141.3、寬53.9厘米。

絹本，水墨。

現藏臺北故宮博物院。

墨梅圖

元

王冕

高69.7、寬25.9厘米。

紙本，水墨。

現藏上海博物館。

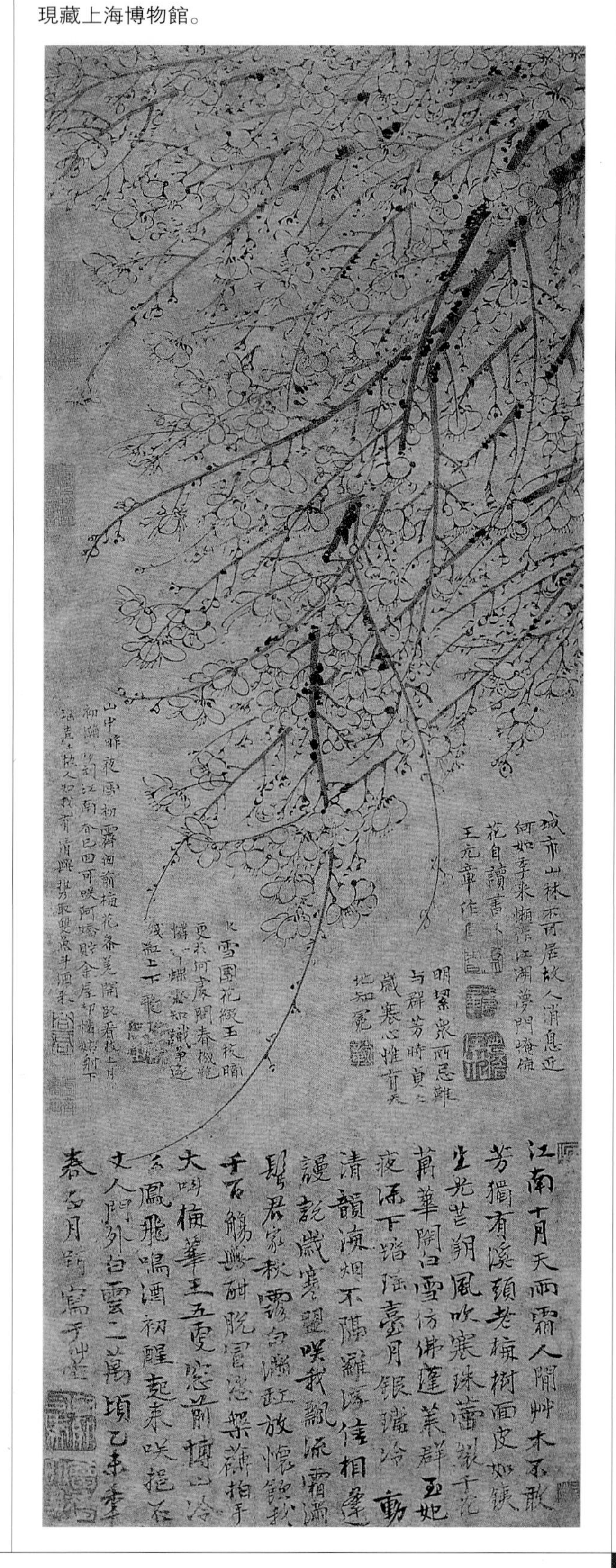

趙　雍（公元1289－1360年）

元代畫家。湖州（今屬浙江）人。字仲穆。趙孟頫次子。承家學，工書善畫，山水、花鳥、鞍馬、人物、界畫無所不能，尤以鞍馬和山水最爲出色。

駿馬圖

元
趙雍
高186、寬106厘米。
絹本，設色。
現藏臺北故宫博物院。

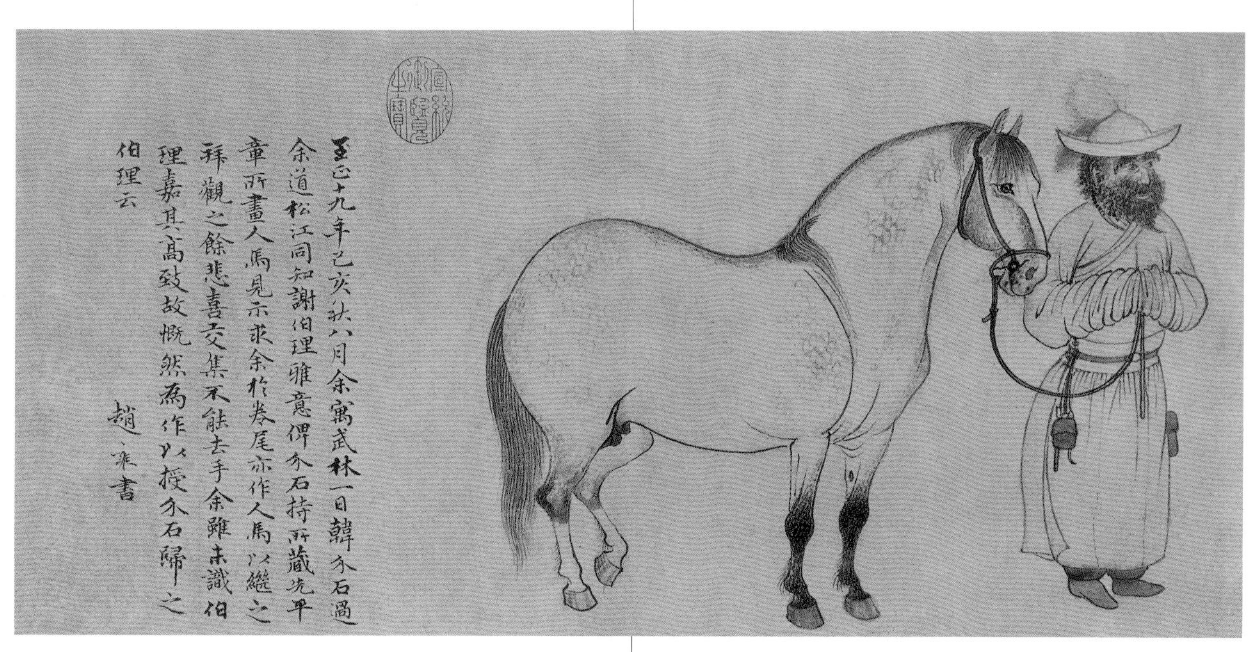

人馬圖

元

趙雍

高30厘米。

紙本，設色。

現藏美國紐約大都會博物館。

松溪釣艇圖

元

趙雍

高30、寬52.8厘米。

紙本，水墨。

現藏故宮博物院。

挾彈游騎圖

元
趙雍
高109、寬46.3厘米。
紙本，設色。
現藏故宫博物院。

高峰元妙禪師像

元
趙雍
高114.7、寬46.7厘米。
絹本，設色。
現藏美國波士頓美術館。

顧　安（公元1289－1373年）

元代畫家。淮東（含今安徽、江蘇各一部）人。字定之，號迂訥居士。工書善畫，尤長畫墨竹，喜作風竹新篁，運筆遒勁挺秀，自成一家。

平安磐石圖

元
顧安
高186.8、寬103.8厘米。
絹本，水墨。
現藏臺北故宮博物院。

墨竹圖

元
顧安
高62.9、寬28.5厘米。
絹本，水墨。
現藏上海博物館。

新篁圖

元
顧安
高91、寬33.1厘米。
紙本，水墨。
現藏故宮博物院。

幽篁秀石圖

元
顧安
高184、寬102厘米。
絹本，水墨。
現藏故宮博物院。

柯九思（公元1290－1343年）

元代書畫家。台州仙居（今屬浙江）人。字敬仲，號丹丘生、五雲閣吏。文宗時官至奎章閣特授學士院鑒書博士。博學能文，善寫墨竹，師法文同。亦喜畫山水和花卉。

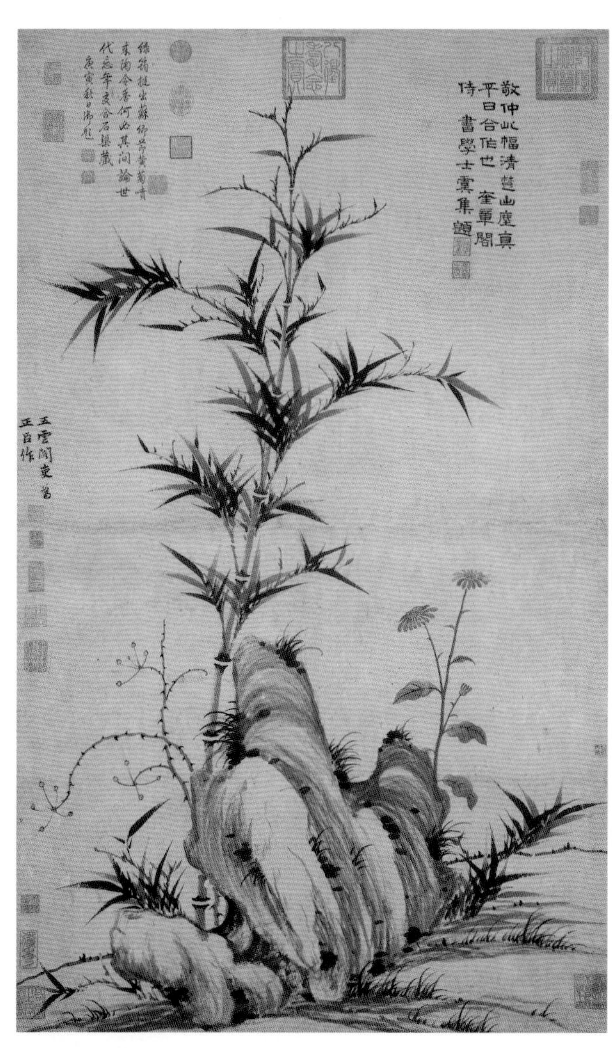

晚香高節圖

元

柯九思

高126.3、寬75.2厘米。

紙本，水墨。

現藏臺北故宫博物院。

雙竹圖

元

柯九思

高86、寬44厘米。

紙本，水墨。

現藏上海博物館。

寒江獨釣圖

元
柯九思（傳）
高27.6、寬27.6厘米。
絹本，水墨淡設色。
現藏日本私人處。

王振鵬

元代畫家。永嘉（治今浙江温州）人。字朋梅，元仁宗賜號"孤雲處士"。官至漕運千户，曾供職秘書監。工書善畫。畫長于人物，尤精界畫，所作界畫工緻細密，自成一體，被推爲元代界畫第一。

伯牙鼓琴圖

元

王振鵬

高31.5、寬92厘米。

絹本，水墨。

現藏故宫博物院。

龍池競渡圖

元

王振鵬

高30.2、寬243.8厘米。

絹本，水墨。

現藏臺北故宮博物院。

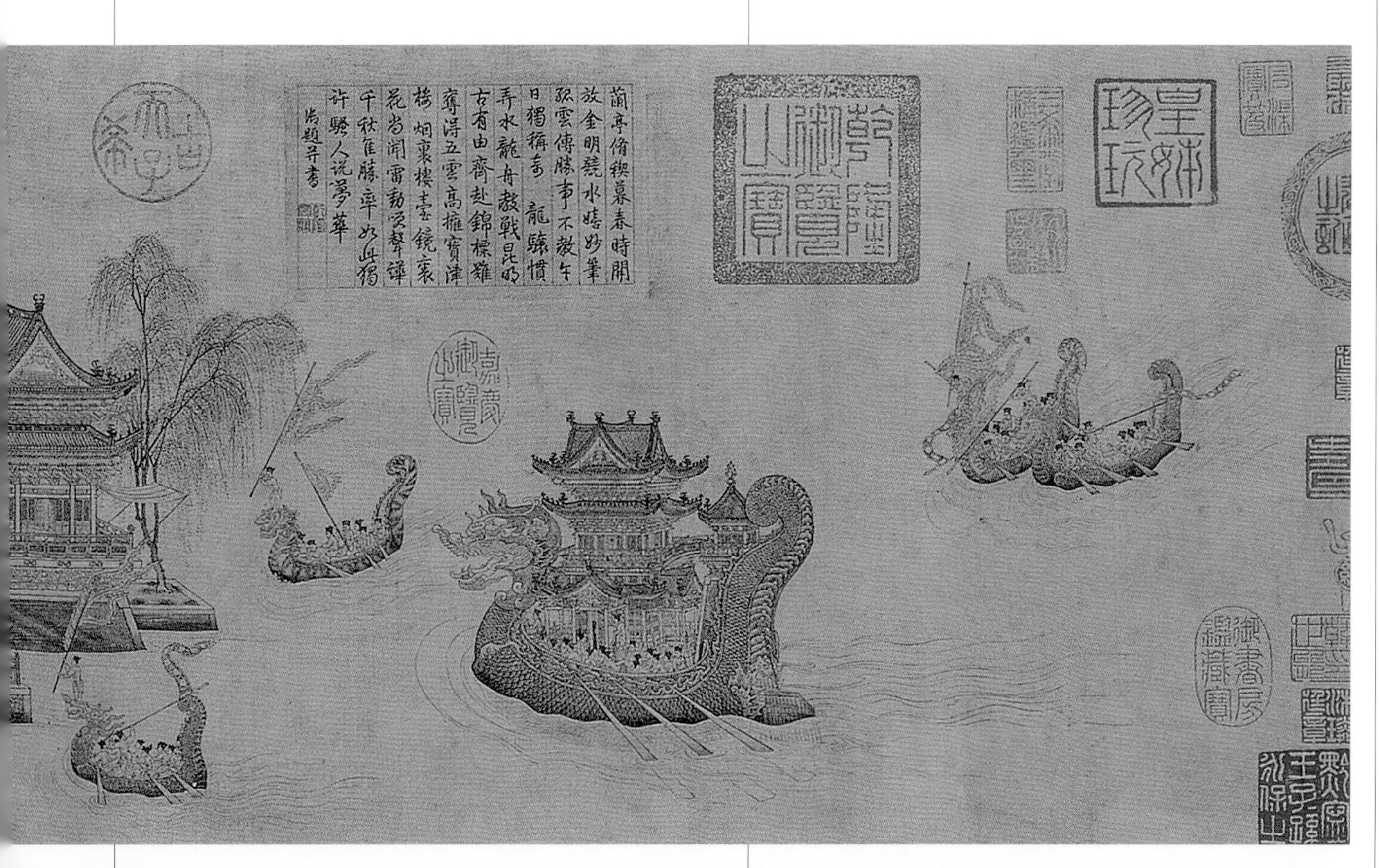
蘭亭脩稧暮春時開
放金明競水嬉妙筆
飛雲傳勝事不教午
日獨稱奇 龍驤慣
弄水龍舟教戰昆明
古有由裔赴錦標雜
奪得五雲高擁寶津
樓烟裏樓臺鏡裏
花笑聞雷動受聲鑼
千秋隹勝卒如此獨
許騎人說夢華
尚題并書

王迪簡

元代畫家。新昌（今屬浙江）人。字庭吉，號蕺隱。善畫水仙，亦善山水。

雙勾水仙圖（局部）

元

王迪簡

高31.4、寬146厘米。

紙本，水墨。

現藏故宮博物院。

王淵

元代畫家。錢塘（今浙江杭州）人。字若水，號澹軒。活動于元代後期。早年曾得到趙孟頫的指教，善畫水墨花鳥、竹石山水，花鳥學黃筌父子勾勒法。

桃竹錦鷄圖

元

王淵

高162.5、寬133厘米。

絹本，水墨。

現藏山西博物院。

山桃錦鷄圖

元

王淵

高102.3、寬55.4厘米。

紙本，水墨。

現藏故宫博物院。

竹石集禽圖

元
王淵
高137.7、寬59.5厘米。
紙本，水墨。
現藏上海博物館。

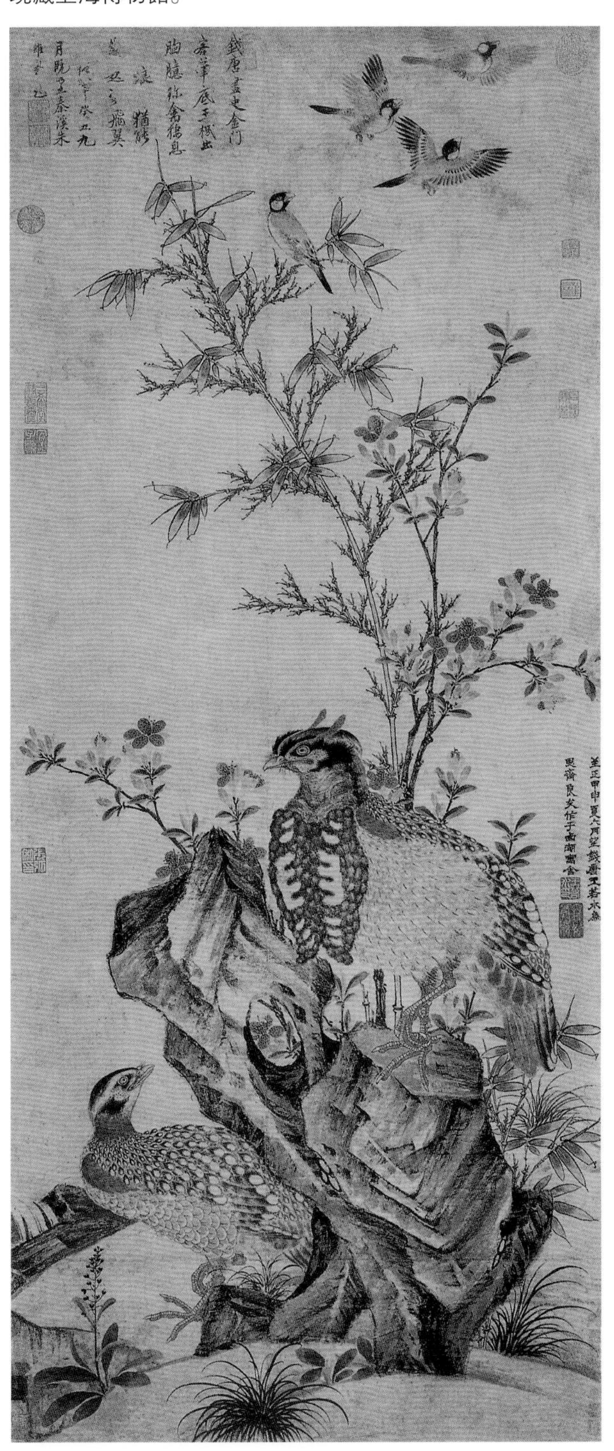

松亭會友圖

元
王淵
高86.9、寬49.3厘米。
絹本，水墨。
現藏臺北故宮博物院。

張舜咨

元代畫家。錢塘（今浙江杭州）人。字師夔，號櫟山、輒醉翁。繪畫善山水、古木竹石。

古木飛泉圖

元
張舜咨
高146.3、寬89.6厘米。
絹本，設色。
現藏臺北故宮博物院。

樹石圖（右圖）

元
張舜咨
高112.5、寬35厘米。
紙本，水墨。
現藏臺北故宮博物院。

雪界翁

元代畫家。生平事迹不詳。

鷹檜圖

元

張舜咨 雪界翁

高147.3、寬96.8厘米。

絹本，設色。

現藏故宫博物院。

陸　廣

元代畫家。平江（今江蘇蘇州）人。字季弘，號天游生。善畫山水，師法黄公望、王蒙，以蕭散幽淡爲宗。

丹臺春曉圖

元

陸廣

高61.3、寬26厘米。

紙本，水墨。

現藏美國紐約大都會博物館。

仙山樓觀圖

元

陸廣

高137.5、寬95.4厘米。

絹本，設色。

現藏臺北故宮博物院。

因陀羅

元代畫家。汴梁（今河南開封）上方祐國大光教禪寺住持，一名壬梵因，法號佛慧凈辨圓通法寶大師。善繪釋道人物。

寒山拾得圖
元
因陀羅
高35.2、寬49.7厘米。
紙本，水墨。
現藏日本東京國立博物館。

智常禪師圖
元
因陀羅
高35.5、寬48.3厘米。
紙本，水墨。
現藏日本東京静嘉堂文庫美術館。

張　渥（公元？－約1356年）

元代畫家。祖籍淮南（含今安徽、江蘇大部），後爲杭州（今屬浙江）人。字叔厚，號貞期生。工畫白描人物，師法北宋李公麟。

臨李公麟九歌圖（局部）

元

張渥

全圖高29、寬523.5厘米。

紙本，水墨。

現藏吉林省博物院。

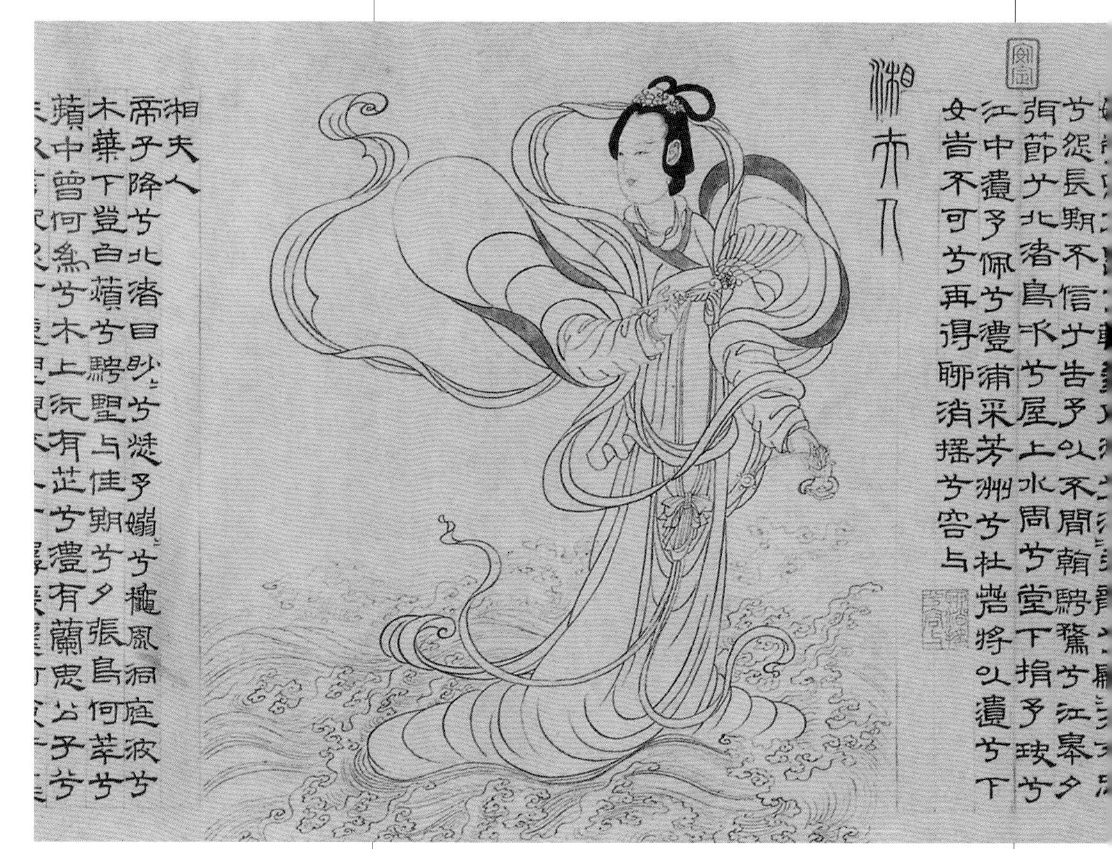

臨李公麟九歌圖局部之一

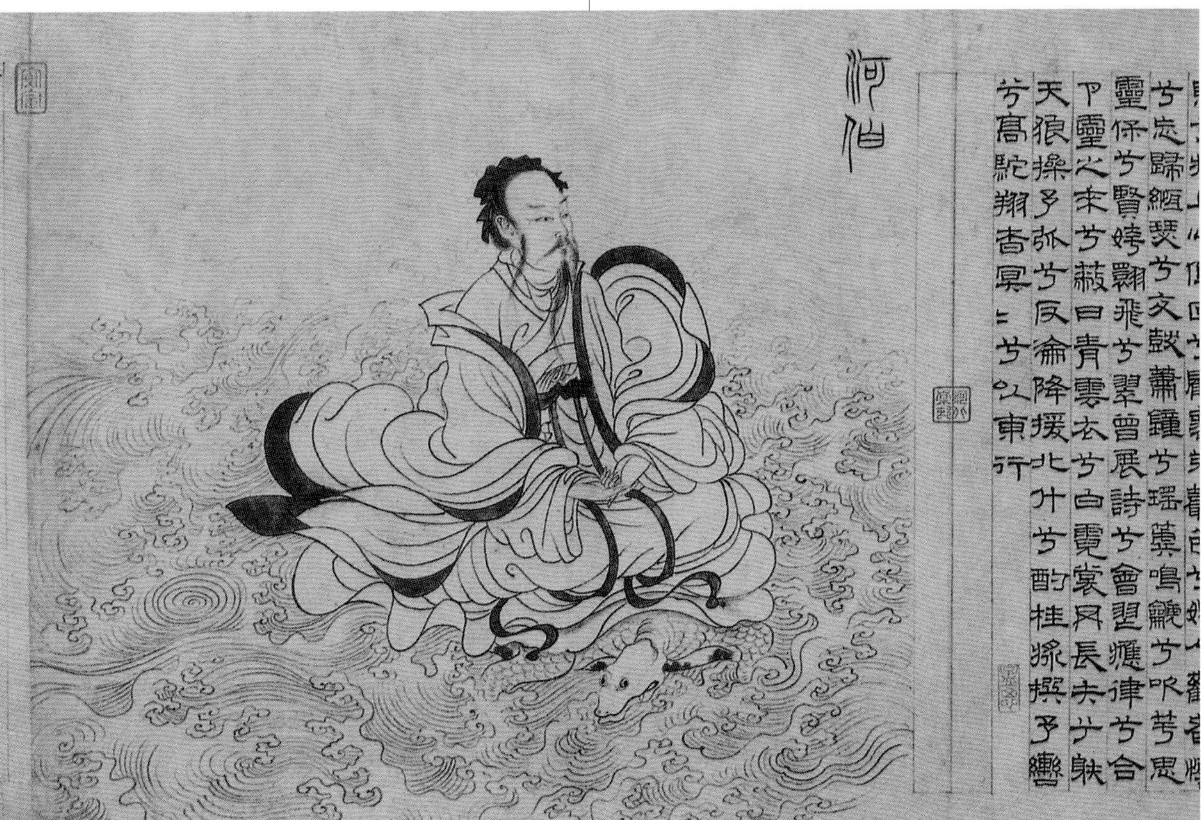

臨李公麟九歌圖局部之二

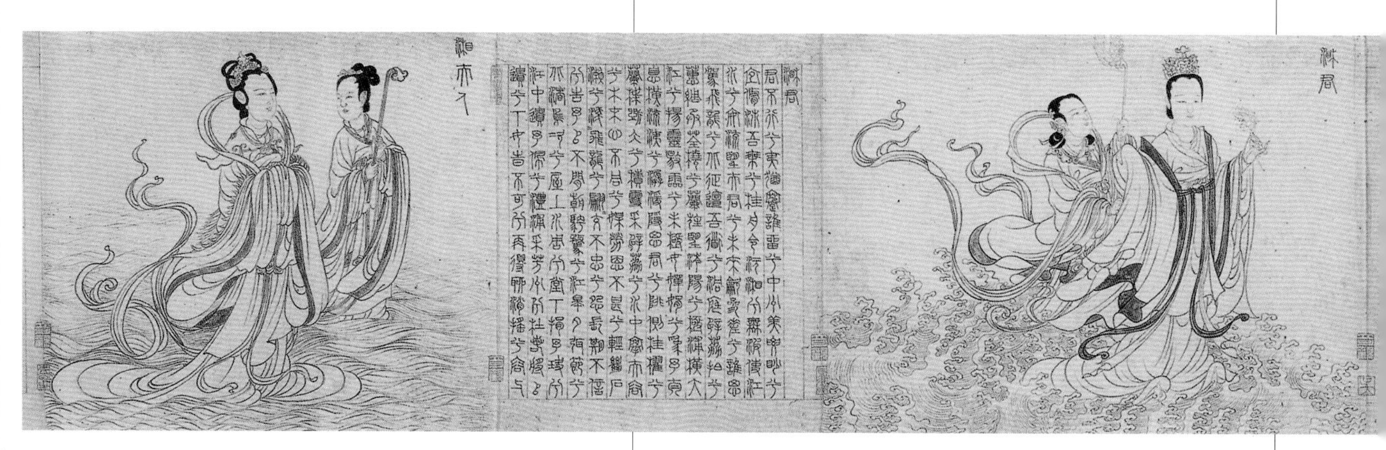

九歌圖（局部）

元

張渥

全圖高28、寬602.4厘米。

紙本，水墨。

現藏上海博物館。

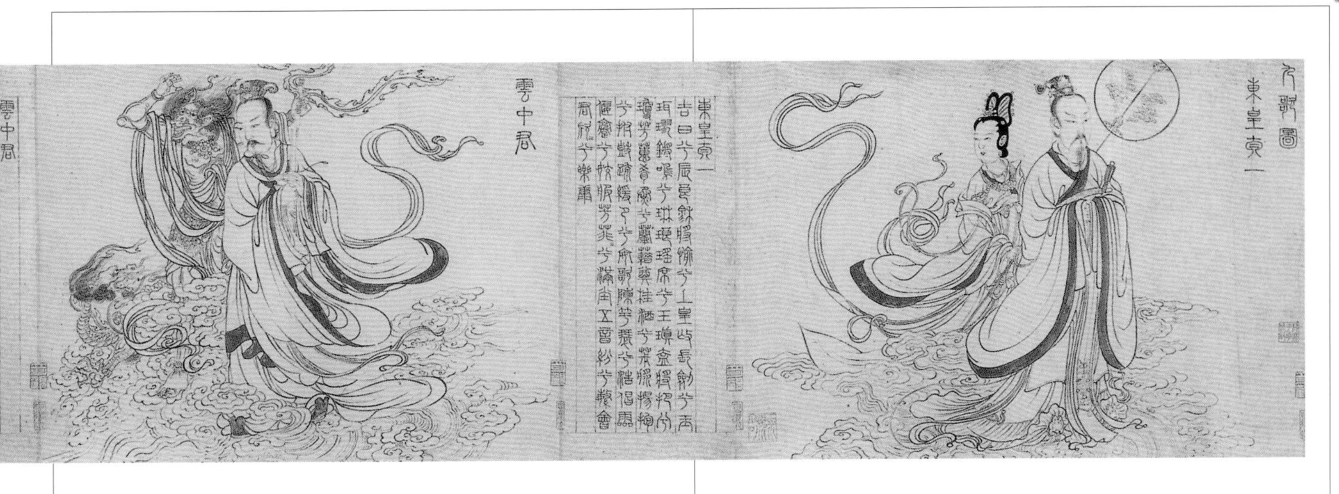

竹西草堂圖

元

張渥

高27.4、寬81.2厘米。

紙本，水墨。

現藏遼寧省博物館。

瑶池仙慶圖

元

張渥

高116.1、寬56.3厘米。

紙本，水墨淡設色。

現藏臺北故宫博物院。

雪夜訪戴圖

元

張渥

高91.2、寬39.3厘米。

紙本，水墨。

現藏上海博物館。

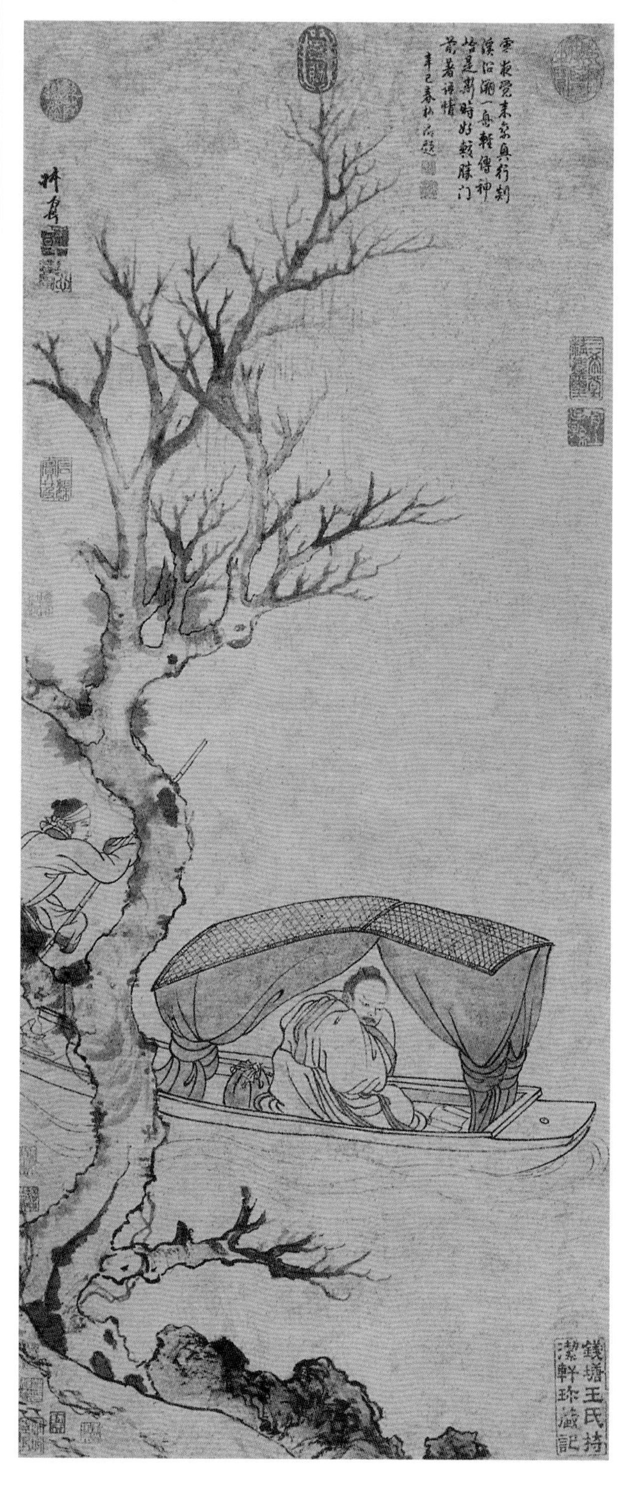

孫君澤

元代畫家。錢塘（今浙江杭州）人。活動于元代後期。工畫山水人物，師法馬遠、夏圭。其畫風對明代以後浙派繪畫的發展有一定影響。

樓閣山水圖之一

樓閣山水圖

元

孫君澤

均高141.4、寬59厘米。

絹本，水墨淡設色。

現藏日本東京静嘉堂文庫美術館。

樓閣山水圖之二

朱　玉（公元1293－1365年）

元代畫家。昆山（治今江蘇太倉）人。字君璧，一作均璧。畫師王振鵬，擅長界畫和人物。

揭鉢圖

元

朱玉

高29.7、寬86.2厘米。

紙本，白描。

現藏上海博物館。

朱德潤（公元1294－1365，一作1293－1365年）

元代畫家。原籍睢陽（今屬河南商丘），居昆山（治今江蘇太倉）。字澤民，號睢陽散人。曾任國史編修、行省儒學提舉。善畫山水，初學許道寧，後法郭熙。多作平遠之景。

渾淪圖

元

朱德潤

高29.7、寬86.2厘米。

紙本，水墨。

現藏上海博物館。

秀野軒圖

元

朱德潤

高28.3、寬210厘米。

紙本，設色。

現藏故宮博物院。

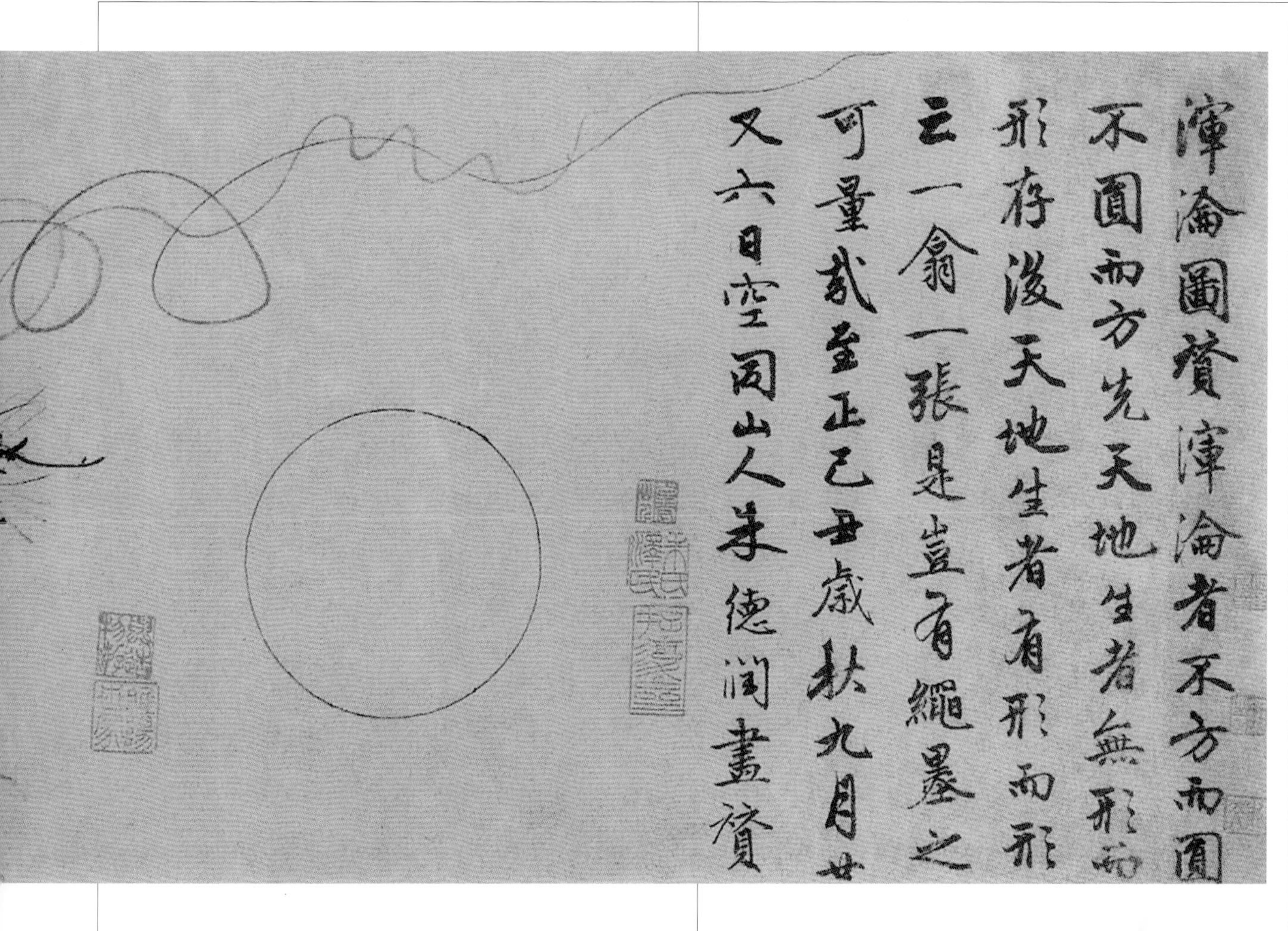
渾淪圖贊 渾淪者不方而圓
不圓而方先天地生者無形而
形存後天地生者有形而形
亡一翁一張是豈有繩墨之
可量哉至正己丑歲秋九月廿
又六日空同山人朱德潤畫贊

林下鳴琴圖
元
朱德潤
高120.8、寬58厘米。
絹本，設色。
現藏臺北故宮博物院。

唐　棣（公元1296－1364，一作1287－1355年）

元代畫家。湖州（今屬浙江）人。字子華。工畫山水。師法郭熙，兼學趙孟頫，善于布置景物，點綴人物尤佳。

松蔭聚飲圖

元

唐棣

高141.4、寬97.1厘米。

絹本，設色。

現藏上海博物館。

摩詰詩意圖

元

唐棣

高128.9、寬69.2厘米。

紙本，水墨淡設色。

現藏美國紐約大都會博物館。

霜浦歸漁圖

元

唐棣

高144、寬89.7厘米。

絹本，設色。

現藏臺北故宫博物院。

雪港捕魚圖

元
唐棣
高147.6、寬67.7厘米。
紙本，水墨淡設色。
現藏上海博物館。

盛 懋

元代畫家。嘉興（今屬浙江）人，僑居嘉興魏塘橋。字子昭。畫工盛洪之子，繼承家學，亦受趙孟頫影響。工畫山水、人物、花卉。筆墨精緻，有“精絶有餘，特過于巧”之評。

滄江横笛圖

元
盛懋
高84.8、寬47.1厘米。
絹本，設色。
現藏南京博物院。

秋江待渡圖

元

盛懋

高112.5、寬46.3厘米。

紙本，水墨。

現藏故宮博物院。

松石圖

元

盛懋

高77.4、寬27.2厘米。

紙本，水墨。

現藏故宮博物院。

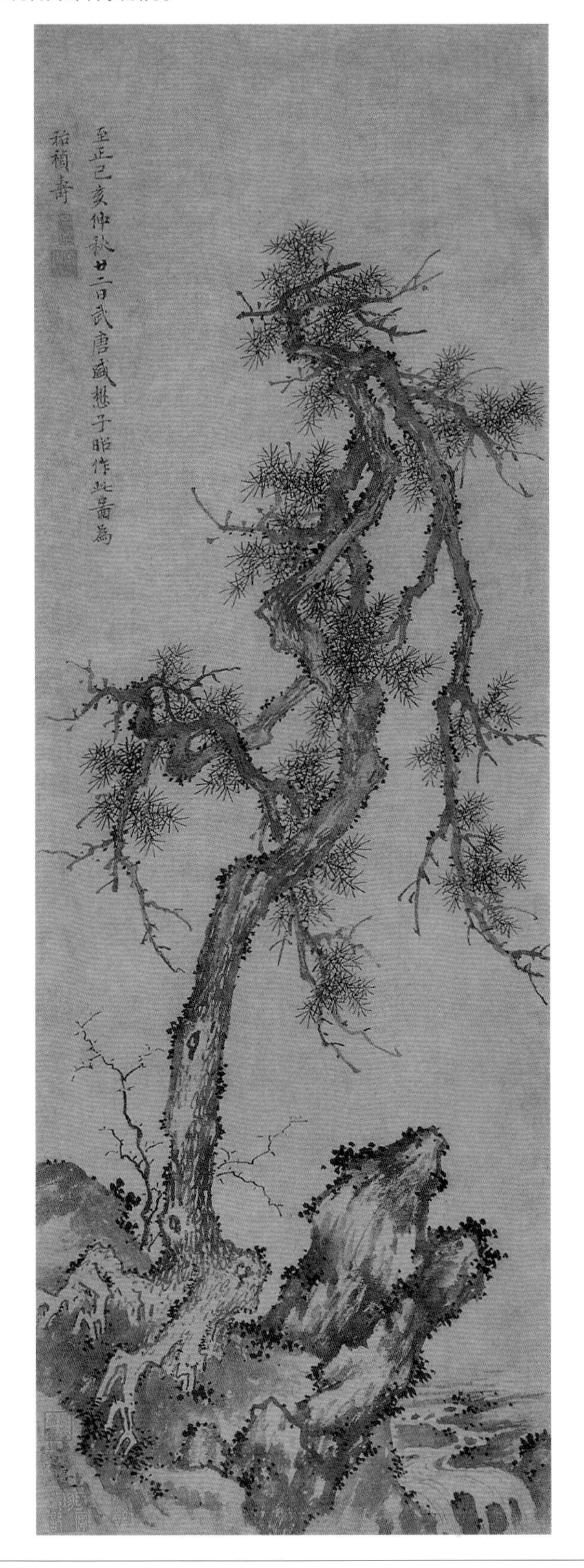

秋林高士圖

元

盛懋

高135.3、寬59厘米。

絹本，設色。

現藏臺北故宮博物院。

溪山清夏圖

元

盛懋

高204.5、寬108.2厘米。

絹本，設色。

現藏臺北故宮博物院。

秋舸清嘯圖

元

盛懋

高167.5、寬102.4厘米。

絹本，設色。

現藏上海博物館。

坐看雲起圖

元
盛懋
高27、寬28厘米。
絹本，設色。
現藏故宫博物院。

秋江垂釣圖

元
盛懋
高21.6、寬22.6厘米。
絹本，設色。
現藏上海博物館。

堅白子

元代畫家。工書善畫。按《室名别號索引》載堅白老人爲周伯琦（公元1298–1369年）之别號，是否爲一人待考。

草蟲圖

元

堅白子

高22.8、寬266.2厘米。

紙本，水墨。

現藏故宫博物院。

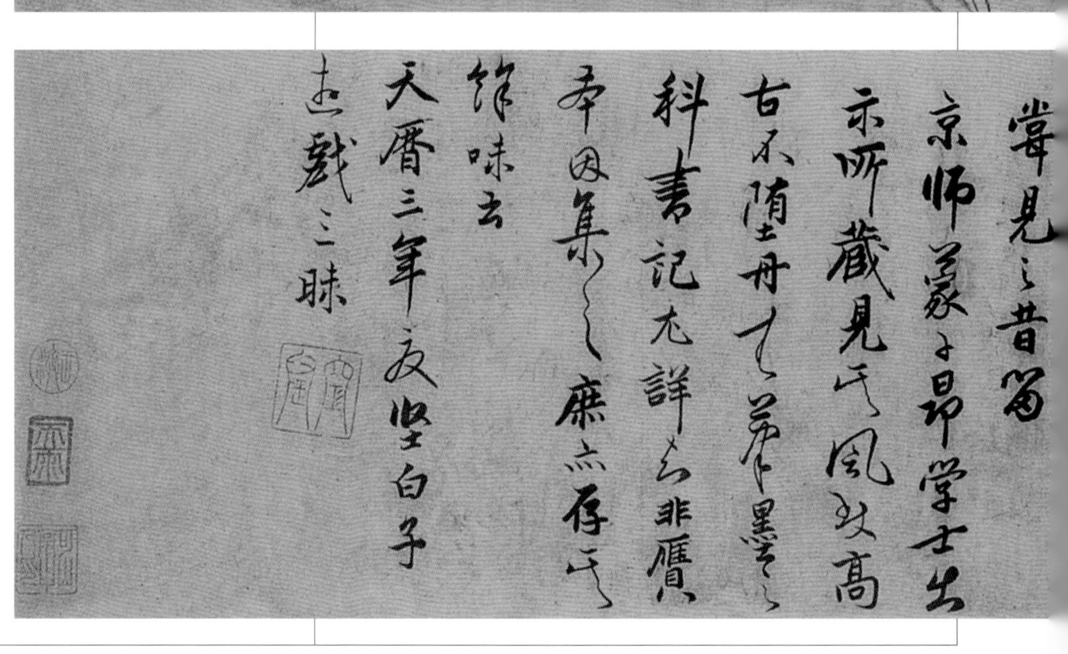

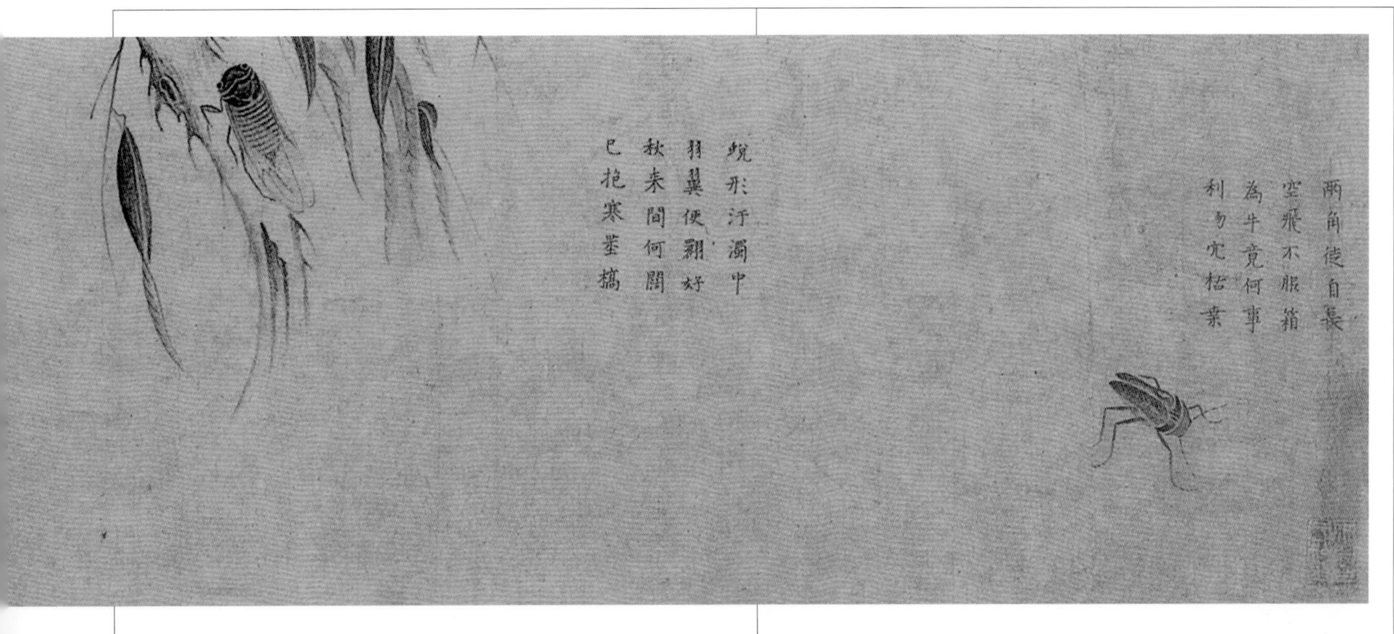
兩角徒自長
空飛不服箱
為牛竟何事
利吻穴枯桑
蛻形汙濁中
羽翼便翾好
秋來間何闊
已抱寒莖槁

跂〻有足蛇
脉〻無角龍
為虎君勿笑
食盡蠆尾蟲
月叢號耿〻
露葉泣溥〻
夜長不自暖
那憂公子寒

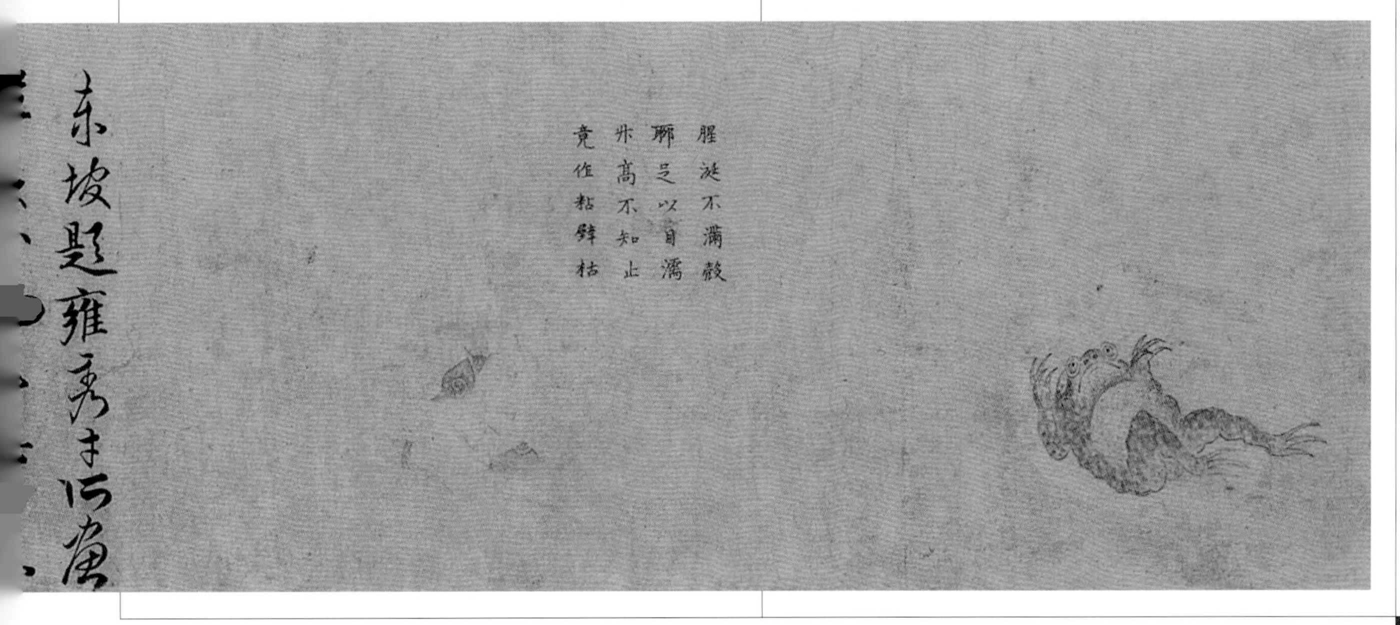
腥涎不滿殼
聊足以自濡
升高不知止
竟作黏壁枯
东坡题雍秀才画

方從義（約公元1302－1393年）

元代畫家。貴溪（今屬江西）人。信州（今江西上饒）龍虎山上清宮道士。字無隅，號方壺、不芒道人、金門羽客等。善畫山水，筆法簡潔奔放，善潑墨寫意，自成一格。

白雲深處圖

元

方從義

高25.8、寬57.9厘米。

紙本，水墨。

現藏上海博物館。

高高亭圖

元

方從義

高62.1、寬27.9厘米。

紙本，水墨。

現藏臺北故宮博物院。

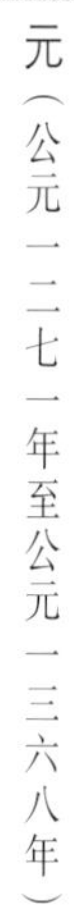

武夷放棹圖

元

方從義

高74.4、寬27.8厘米。

紙本，水墨。

現藏故宮博物院。

神岳瓊林圖

元

方從義

高120.3、寬55.7厘米。

紙本，設色。

現藏臺北故宮博物院。

太白瀧湫圖

元

方從義

高105.6、寬46.1厘米。

紙本，水墨。

現藏日本大阪市立美術館。

張彥輔

元代畫家。號六一。蒙古族。出家爲道士，多居于京師大都（今北京）。活動于元代後期。善畫山水、竹石，亦善畫馬。

棘竹幽禽圖

元

張彥輔

高63.8、寬50.7厘米。

紙本，水墨。

現藏美國堪薩斯納爾遜–艾金斯美術館。

倪　瓚（公元1306－1374，一作1301－1374年）

元代畫家。無錫（今屬江蘇）人。字元鎮，號雲林子，別號有朱陽館主、幻霞子、荆蠻民等。善畫山水，宗法董源，參以荆浩、關仝筆法。用筆善用側鋒，創“折帶皴”，秀逸疏淡，自成一家。構圖多取平遠之景，善畫枯木平遠、竹石茅舍，形成荒疏蕭條一派，以淡泊取勝。

水竹居圖

元

倪瓚

高53.5、寬28.2厘米。

紙本，設色。

現藏中國國家博物館。

六君子圖

元

倪瓚

高61.9、寬33.3厘米。

紙本，水墨。

現藏上海博物館。

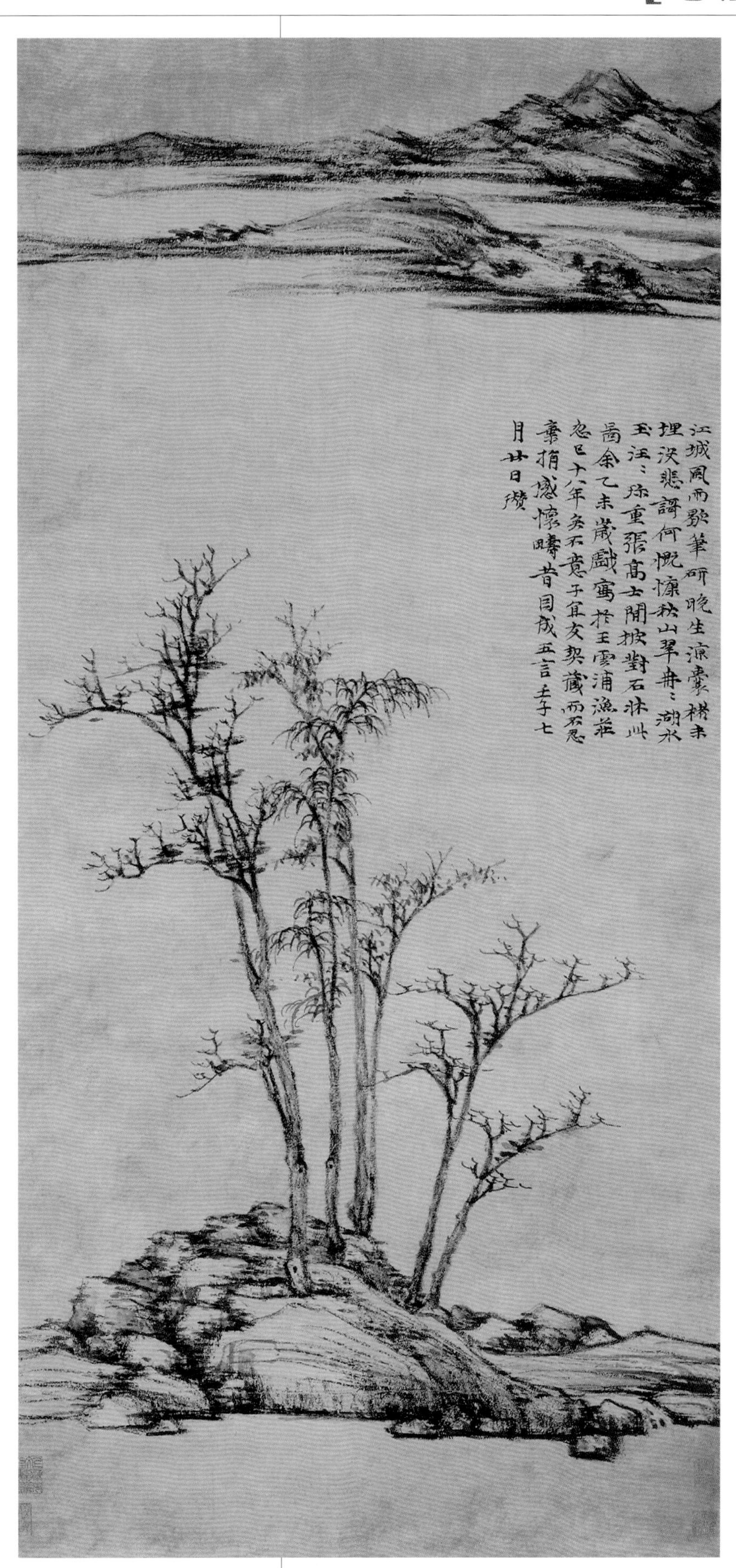

漁莊秋霽圖

元

倪瓚

高96.1、寬46.9厘米。

紙本，水墨。

現藏上海博物館。

虞山林壑圖

元

倪瓚

高94.6、寬34.9厘米。

紙本，水墨。

現藏美國紐約大都會博物館。

紫芝山房圖

元

倪瓚

高80.5、寬34.8厘米。

紙本，水墨。

現藏臺北故宮博物院。

梧竹秀石圖

元
倪瓚
高96、寬36厘米。
紙本，水墨。
現藏故宮博物院。

江亭山色圖

元
倪瓚
高94.7、寬43.7厘米。
紙本，水墨。
現藏臺北故宮博物院。

雨後空林圖

元

倪瓚

高63.5、寬37.6厘米。

紙本，水墨淡設色。

現藏臺北故宮博物院。

竹梢圖

元
倪瓚
高26.8、寬60.9厘米。
紙本，水墨。
現藏上海博物館。

竹枝圖

元
倪瓚
高34、寬76.4厘米。
紙本，水墨。
現藏故宮博物院。

王　蒙（公元? – 1385年）

元代畫家。湖州（今屬浙江）人。字叔明（一作叔銘），號黄鶴山樵。趙孟頫外孫。善畫山水，得趙孟頫法，參酌唐宋諸家，以董源、巨然爲宗，變古創法。爲“元四家”之一，對明清及近代山水畫影響甚大。

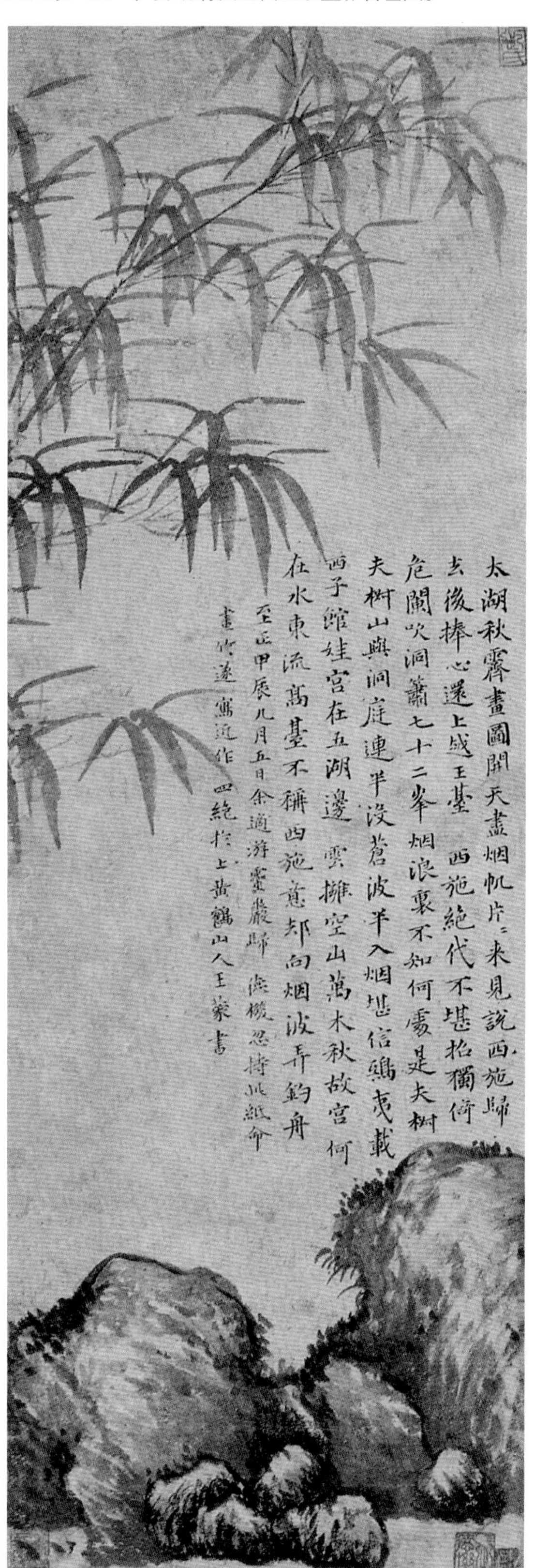

太湖秋霽畫圖開天盡烟帆片片來見說西施歸
去後捧心還上越王臺 西施絕代不堪招獨倚
危闌吹洞簫七十二峯烟浪裏不知何處是夫樹
夫樹山與洞庭連半沒蒼波半入烟堪信鴟夷載
西子館娃宮在五湖邊 雲擁空山萬木秋故宮何
在水東流高臺不稱西施意却向烟波弄釣舟
至正甲辰九月五日余適游靈巖歸
畫竹遂寫近作 四絕於上黃鶴山人王蒙書

竹石圖（左圖）

元

王蒙

高77.2、寬27厘米。

紙本，水墨。

現藏江蘇省蘇州博物館。

夏山高隱圖

元

王蒙

高149、寬63.5厘米。

絹本，水墨。

現藏故宫博物院。

青卞隱居圖（左圖）

元

王蒙

高140.7、寬42.2厘米。

紙本，水墨。

現藏上海博物館。

秋山草堂圖

元

王蒙

高123.3、寬54.8厘米。

紙本，設色。

現藏臺北故宮博物院。

太白山圖

元
王蒙
高27.6、寬238厘米。
紙本，設色。
現藏遼寧省博物館。

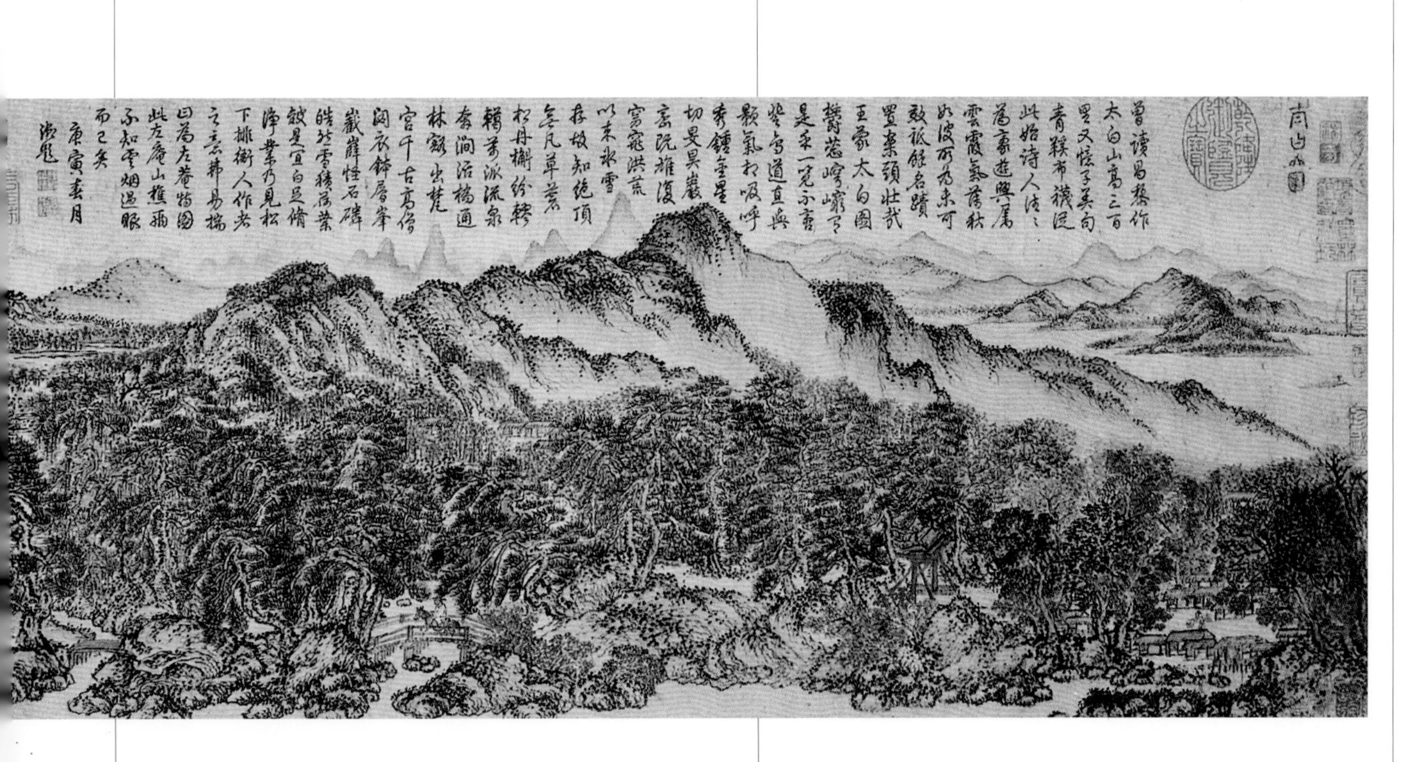

谷口春耕圖

元

王蒙

高124.9、寬37.2厘米。

紙本，水墨。

現藏臺北故宮博物院。

春山讀書圖

元

王蒙

高132.4、寬55.5厘米。

紙本，設色。

現藏上海博物館。

具區林屋圖

元

王蒙

高68.7、寬42.5厘米。

紙本，設色。

現藏臺北故宫博物院。

吴　瓘

元代畫家。嘉興（今屬浙江）人。字瑩之，號竹莊老人。善畫窠石、墨梅，尤工翎毛。

梅竹圖

元
吴瓘
高29.6、寬79.8厘米。
紙本，水墨。
現藏遼寧省博物館。

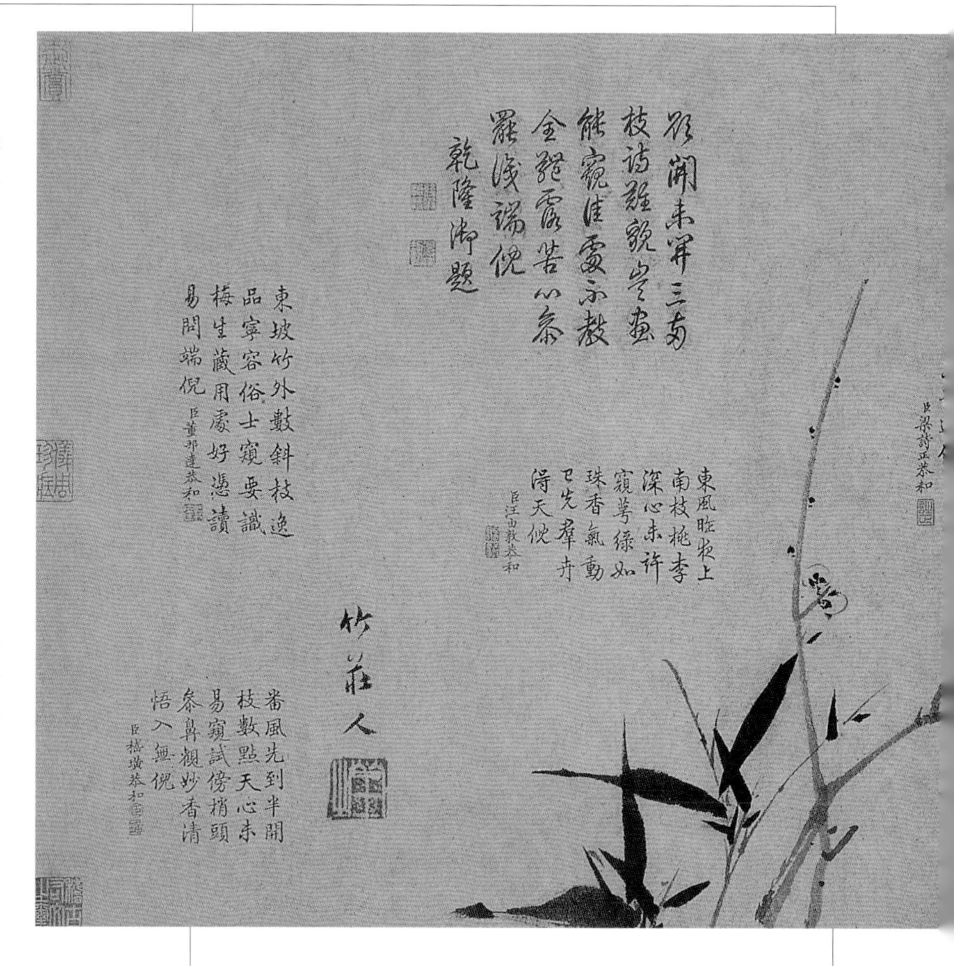

趙　衷

元代畫家。嘉興（今屬浙江）人，一作吴江（今屬江蘇）人。字原初，號東吴野人。活動于元代後期。善畫人物、山水和花卉。白描人物學李公麟。

隔岸觀山圖

元
趙衷
高30、寬50.1厘米。
紙本，水墨。
現藏故宫博物院。

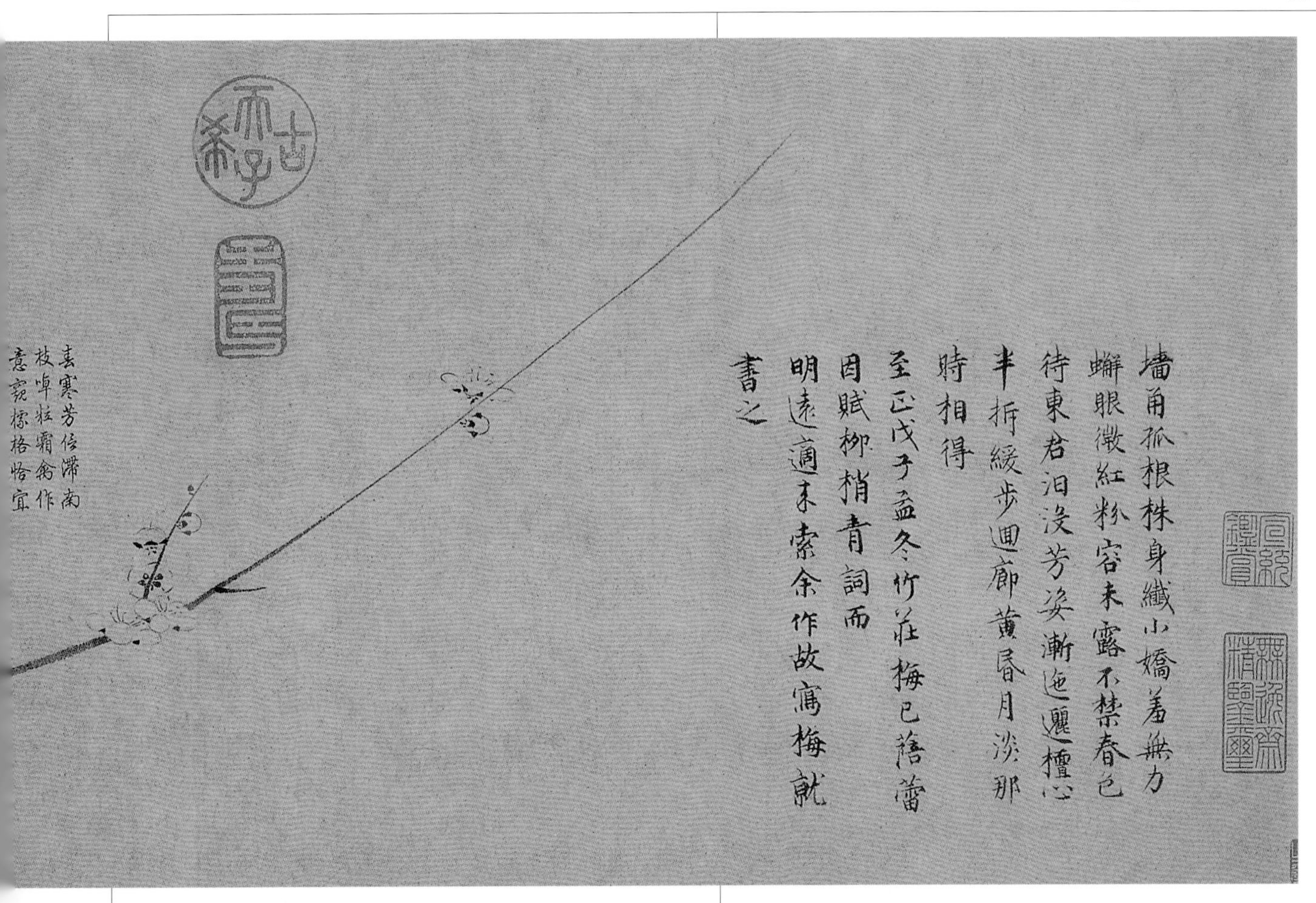

趙 麟

元代畫家。湖州（今屬浙江）人。字彦徵。趙雍之子，活動于元代後期。善畫人馬、山水。

人馬圖

元

趙麟

紙本，設色。

現藏美國紐約大都會博物館。

李容瑾

元代畫家。字公琰。善界畫山水，師法王振鵬。

漢苑圖

元

李容瑾

高156.6、寬108.7厘米。

絹本，設色。

現藏臺北故宮博物院。

夏　永

元代畫家。錢塘（今浙江杭州）人。字明遠。活動于至正年間（公元1341–1368年）。長于界畫，宗法王振鵬，畫風精細。

岳陽樓圖

元
夏永
高25、寬26厘米。
絹本，設色。
現藏故宮博物院。

滕王閣圖

元
夏永
高26.5、寬27.5厘米。
絹本，水墨。
現藏美國華盛頓弗利爾美術館。

豐樂樓圖

元
夏永
高25.8、寬25.8厘米。
絹本，水墨。
現藏故宮博物院。

沈　鉉

元代畫家。善畫山水，筆墨似黃公望。約活動于至正年間（公元1341-1368年）。

平林遠山圖

元
沈鉉
高30、寬40.9厘米。
紙本，水墨。
現藏故宮博物院。

姚廷美

元代畫家。湖州（今屬浙江）人。字彥卿。活動于元代後期。工畫山水，師法郭熙，與孟珍、吳廷暉齊名。

溪閣流泉圖

元
姚廷美
高26.7、寬25.2厘米。
絹本，水墨淡設色。
現藏湖北省博物館。

雪江漁艇圖（上圖）

元

姚廷美

高24.3、寬87.9厘米。

紙本，水墨。

現藏故宮博物院。

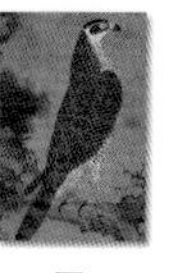

馬琬

元代畫家。金陵（今江蘇南京）人，元末客居松江（今上海）。字文璧，號魯鈍。活動于元代後期。工書善畫，長于山水，遠師董源、巨然和米芾，近學黄公望。

春山清霽圖（下圖）

元

馬琬

高27、寬102.5厘米。

紙本，水墨。

現藏臺北故宮博物院。

暮雲詩意圖

元
馬琬
高95.6、寬56.3厘米。
絹本，設色。
現藏上海博物館。

劉秉謙

元代畫家。生平事迹不詳。

喬岫幽居圖

元
馬琬
高119.9、寬57.8厘米。
絹本，水墨淡設色。
現藏臺北故宮博物院。

竹石圖

元
劉秉謙
高147.7、寬78.7厘米。
絹本，設色。
現藏遼寧省旅順博物館。

吴太素

元代畫家。會稽（今浙江紹興）人。字季章，號松齋。善書畫，工畫山石、水仙，尤擅畫梅，著有《松齋梅譜》十五卷傳世。

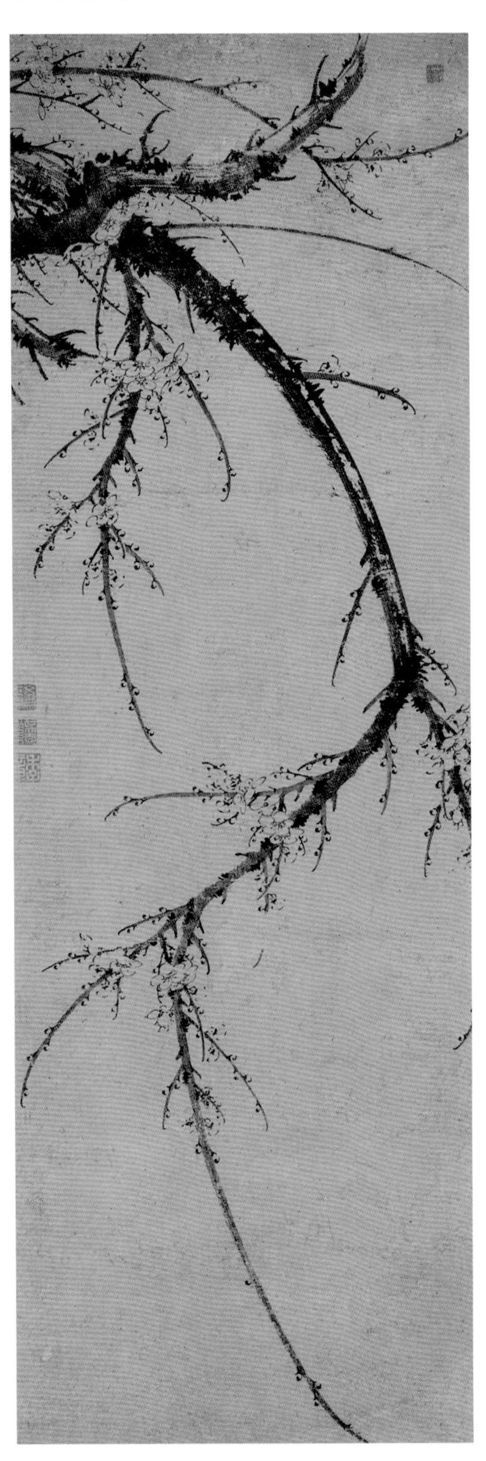

墨梅圖

元

吴太素

高116.6、寬40.4厘米。

紙本，水墨。

現藏日本私人處。

張　羽（公元1323－1385年）

元代畫家。江州（今江西九江）人，徙居平江（今江蘇蘇州）。字來儀、附鳳，號静居。善畫山水竹石，師法二米及方從義。

松軒春靄圖

元

張羽

高111、寬31.5厘米。

紙本，設色。

現藏美國紐約大都會博物館。

張　中

元代畫家。松江（今上海）人。一名守中，字子政，一作子正。善畫山水、花鳥，山水學黃公望，花鳥多以水墨點簇暈染，清雋雅致。

枯荷鸂鶒圖

元
張中
高96.4、寬46厘米。
紙本，設色。
現藏臺北故宮博物院。

芙蓉鴛鴦圖

元
張中
高147、寬56.8厘米。
紙本，水墨。
現藏上海博物館。

吴淞春水圖

元

張中

高82.8、寬32厘米。

紙本，水墨。

現藏上海博物館。

盛昌年

元代畫家。杭州（今屬浙江）人。字元齡。活動于元代後期。善畫花鳥。

柳燕圖

元

盛昌年

高75.3、寬25.5厘米。

紙本，水墨。

現藏故宫博物院。

邊　魯

元代畫家。北庭（今新疆境内）畏兀兒人，一作宣城（今屬安徽）人。字至愚，號魯生。活動于元代後期。工畫花鳥。

孔雀芙蓉圖

元
邊魯
高170、寬102.3厘米。
絹本，設色。
現藏美國紐約大都會博物館。

起居平安圖

元
邊魯
高118.5、寬49.6厘米。
紙本，水墨。
現藏天津博物館。

鄒復雷

元代畫家。號雲東道士。活動于元代後期。工寫梅花。

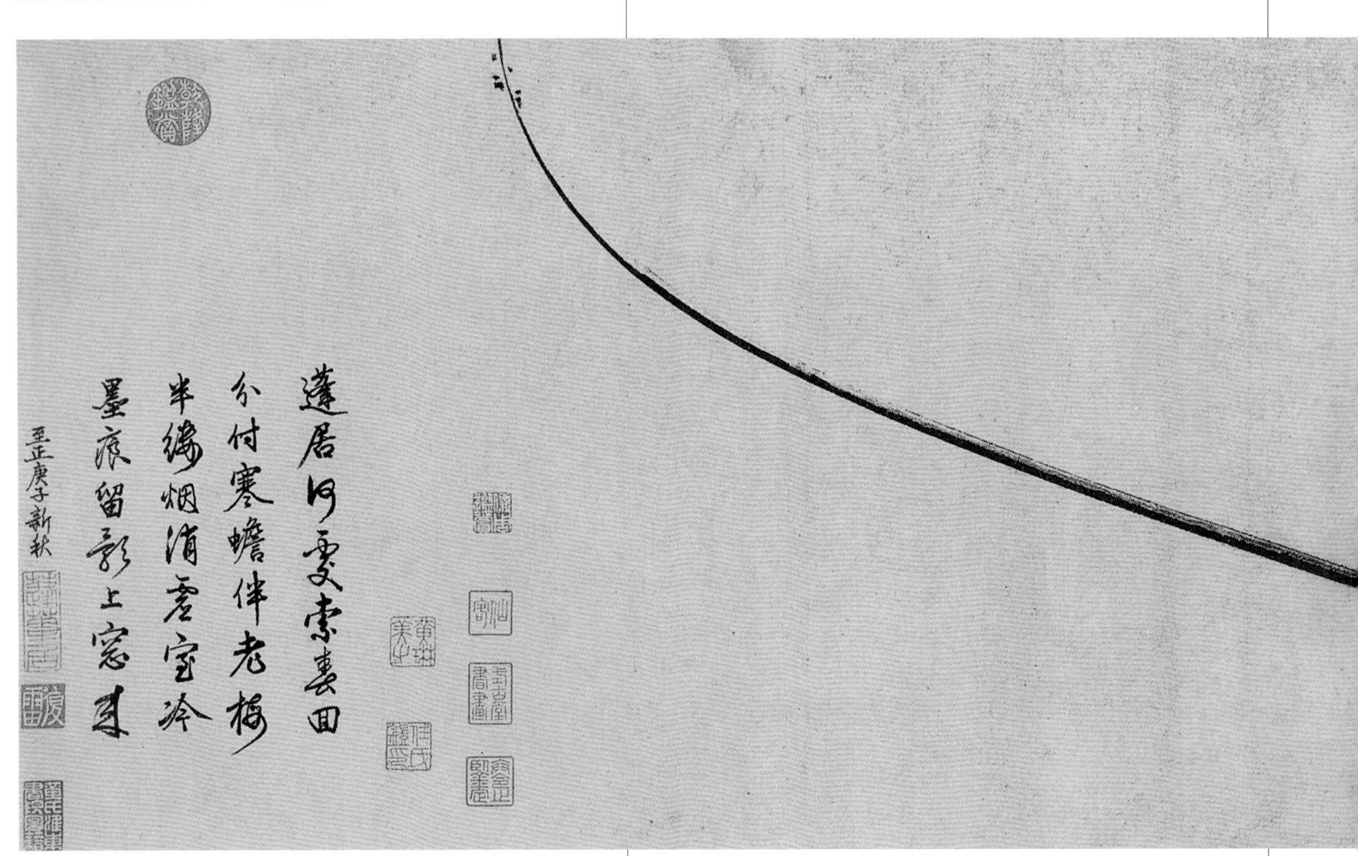

春消息圖

元

鄒復雷

高34.1、寬221.5厘米。

紙本，水墨。

現藏美國華盛頓弗利爾美術館。

王　繹（約公元1333－?年）

元代畫家。建德（今浙江建德東）人，居杭州（今屬浙江）。字思善，號痴絶生。以肖像畫著名于時。著有《寫像秘訣》。

楊竹西小像

元
王繹 倪瓚
高30、寬54.7厘米。
紙本，設色。
現藏故宮博物院。

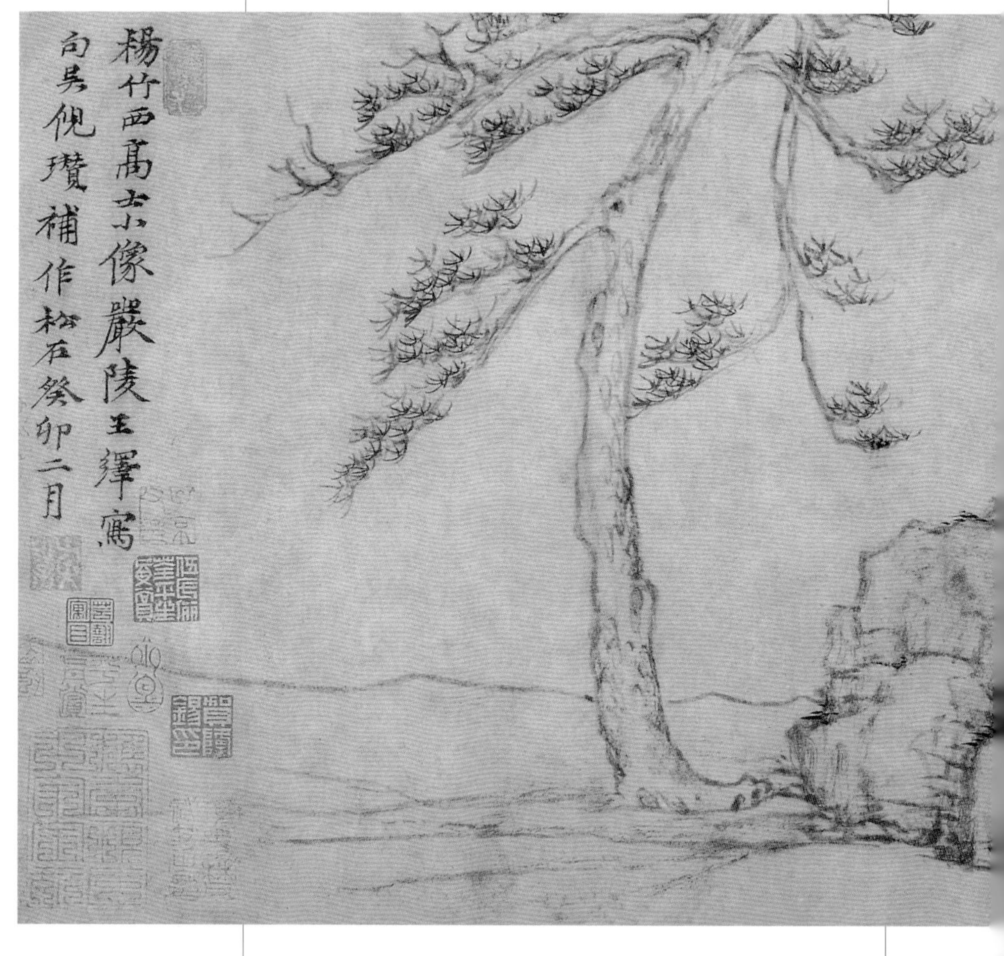

趙　原

元代畫家。莒縣（今屬山東）人，寓居平江（今江蘇蘇州）。字善長，號丹林。活動于元末明初。善畫山水，遠師董源、巨然，近學王蒙。

陸羽烹茶圖

元
趙原
高27、寬78厘米。
紙本，設色。
現藏臺北故宮博物院。

陸羽烹茶圖
睡起山齋渴思長
呼童煎茗滌枯腸
軟塵落碾龍團綠
活水翻鐺蟹眼黃
耳底雷鳴輕着韻
鼻端風過細聞香
一甌洗得雙瞳豁
飽玩苕溪雲水鄉
窺斑

合溪草堂圖

元

趙原

高84.3、寬40.8厘米。

紙本，設色。

現藏上海博物館。

溪亭秋色圖

元

趙原

高61.4、寬26厘米。

紙本，水墨。

現藏臺北故宮博物院。

方　厓

元代畫家。平江（今江蘇蘇州）人。僧人，活動于元代後期。善畫墨竹。

墨竹圖

元

方厓

高115.1、寬36.6厘米。

紙本，水墨。

現藏臺北故宮博物院。

衛九鼎

元代畫家。天台（今屬浙江）人。字明鉉。活動于元代後期。工畫山水人物，界畫師王振鵬。

洛神圖

元

衛九鼎

高90.8、寬31.8厘米。

紙本，水墨。

現藏臺北故宮博物院。

張　遠

元代畫家。華亭（今上海松江）人。字梅岩。活動于元代後期。山水、人物取法馬遠。

瀟湘八景圖（局部）

元
張遠
全圖高19.3、寬519厘米。
絹本，設色。
現藏上海博物館。

張　觀

元代畫家。華亭（今上海松江）人。字可觀。活動于元末明初。工書善畫，長于山水。

疏林茅屋圖

元
張觀
高25.8、寬59.6厘米。
紙本，水墨。
現藏故宮博物院。

古屋深林
柯葉轇樂
飢高志抗
由巢杜陵
至正戊戌八月張觀製

山林情趣圖

元
張觀
高30、寬54.7厘米。
紙本，設色。
現藏故宮博物院。

林卷阿

元代畫家。字子奂，號優游生。活動于元末明初。方從義弟子，善畫山水。

山水圖

元
林卷阿
高25、寬61.5厘米。
紙本，水墨。
現藏臺北故宮博物院。

盛　著

元代畫家。嘉興（今屬浙江）人。字叔明。活動于元代後期。盛懋侄。善畫山水，兼工人物花鳥。

夏叔文

元代畫家。生平事迹不詳。

滄浪獨釣圖

元

盛著

高63、寬30.7厘米。

紙本，水墨。

現藏遼寧省旅順博物館。

柳溏聚禽圖

元

夏叔文

高127.9、寬66.7厘米。

紙本，設色。

現藏遼寧省博物館。

華祖立

元代畫家。字唐卿。善畫人物。

玄門十子圖（局部）

元

華祖立

全圖高27.8、寬403.8厘米。

紙本，設色。

現藏上海博物館。

蔡　山

元代畫家。生平事迹不詳。

羅漢圖

元

蔡山

高83.7、寬54.1厘米。

絹本，設色。

現藏日本東京國立博物館。

仿巨然山水圖

元
佚名
高175.5、寬97.5厘米。
絹本，水墨。
現藏故宮博物院。

仿郭熙山水圖

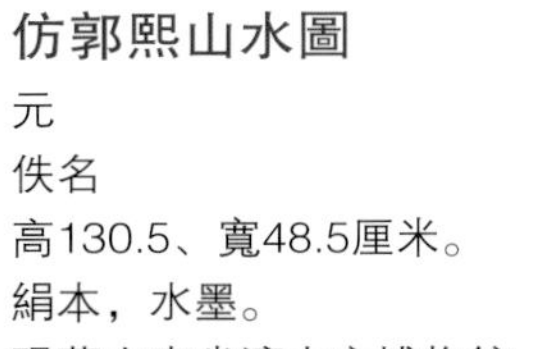

元
佚名
高130.5、寬48.5厘米。
絹本，水墨。
現藏山東省濟南市博物館。

仿米氏雲山圖

元

佚名

高57、寬35.3厘米。

紙本，水墨淡設色。

現藏臺北故宮博物院。

雪景山水圖

元

佚名

高104.8、寬51.1厘米。

絹本，水墨淡設色。

現藏故宮博物院。

千岩萬壑圖

元

佚名

高129.3、寬67.6厘米。

絹本，水墨。

現藏天津博物館。

寒林圖

元

佚名

高162.4、寬102.3厘米。

絹本，水墨。

現藏臺北故宮博物院。

松齋靜坐圖

元

佚名

高170、寬106.7厘米。

絹本，設色。

現藏南京博物院。

山水圖

元

佚名

高168、寬97厘米。

絹本，設色。

現藏中央美術學院。

秋景山水圖

元
佚名
高176.5、寬110.5厘米。
絹本，設色。
現藏故宮博物院。

雪溪晚渡圖

元
佚名
高105、寬60.3厘米。
絹本，設色。
現藏南京博物院。

松溪林屋圖

元

佚名

高168、寬103厘米。

絹本，設色。

現藏南京博物院。

遥岑玉樹圖

元

佚名

高97.4、寬41.2厘米。

紙本，設色。

現藏故宫博物院。

東山絲竹圖

元

佚名

高187.5、寬43.7厘米。

絹本，設色。舊題趙孟頫，有學者認爲可能是盛懋作品。

現藏故宫博物院。

青山畫閣圖

元

佚名

高170、寬103厘米。

絹本，設色。

現藏上海朵雲軒。

扁舟傲睨圖

元

佚名

高166、寬111.9厘米。

絹本，設色。

現藏遼寧省博物館。

山水圖（選二開）

元
佚名
高27.4、寬33.1厘米。
紙本，設色。共八開。
現藏故宮博物院。

山水圖之一

山水圖之二

雪溪賣魚圖

元
佚名
高25.2、寬24.6厘米。
絹本，設色。
現藏上海博物館。

溪山亭榭圖

元
佚名
高27.5、寬26.2厘米。
絹本，設色。
現藏故宮博物院。

松蔭策杖圖

元
佚名
高28、寬28.7厘米。
絹本，設色。
現藏故宫博物院。

柳院消暑圖

元
佚名
高29、寬29.2厘米。
絹本，設色。
現藏故宫博物院。

盧溝運筏圖（局部）

元

佚名

全圖高143.6、寬105厘米。

絹本，設色。

現藏中國國家博物館。

山溪水磨圖

元

佚名

高154、寬94厘米。

絹本，設色。

現藏遼寧省博物館。

廣寒宮圖

元

佚名

高75.6、寬62.1厘米。

絹本，水墨。

現藏上海博物館。

明皇避暑宮圖

元

佚名（舊題郭忠恕）

高161.5、寬105.6厘米。
絹本，水墨。
現藏日本大阪市立美術館。

懸圃春深圖

元
佚名
高26、寬27.8厘米。
絹本，設色。
現藏上海博物館。

蓬瀛仙館圖

元
佚名
高26.4、寬27.9厘米。
絹本，設色。
現藏故宮博物院。

仙山樓閣圖

元
佚名
高27.5、寬26.4
厘米。
絹本，設色。
現藏重慶市博物館。

龍舟奪標圖

元
佚名（舊傳王振鵬）
高25、寬114.6厘米。
絹本，水墨。
現藏故宮博物院。

山殿賞春圖

元
佚名
高27.5、寬28.6厘米。
絹本，設色。
現藏上海博物館。

搜山圖

元

佚名

高53.4、寬533.4厘米。

紙本，設色。

現藏故宮博物院。

夢蝶圖

元

佚名

高30、寬65厘米。

絹本，設色。

現藏美國私人處。

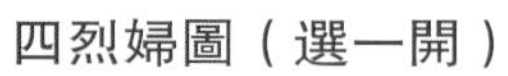

四烈婦圖（選一開）

元

佚名

高24、寬53厘米。

絹本，設色。此作品原爲四開，現存三開。

現藏廣東省廣州美術館。

九歌圖（局部）

元
佚名
全圖高30.5、寬620厘米。
紙本，水墨。
現藏黑龍江省博物館。

九歌圖局部之一

九歌圖局部之二

唐僧取經圖–玉肌夫人

元

佚名（舊題王振鵬）

高43.1、寬34.5厘米。

絹本，設色。

現藏日本私人處。

元太祖像

元
佚名
高59.4、寬47厘米。
絹本，設色。
現藏臺北故宫博物院。

元世祖后像

元
佚名
絹本，設色。
現藏臺北故宫博物院。

十王圖（選一幅）

元

佚名

高92.5、寬44.3厘米。

絹本，設色。原圖共十幅。

現藏日本神奈川縣立歷史博物館。

中峰明本像

元

佚名

高123.5、寬51.2厘米。

絹本，著色。

現藏日本京都慈照院。

揭鉢圖

元
佚名
高31.8、寬97.6厘米。
絹本，設色。
現藏故宮博物院。

番王禮佛圖

元
佚名
高34.2、寬130.3厘米。
紙本，水墨。
現藏故宮博物院。

羅漢圖（局部）

元

佚名

全圖高30、寬960厘米。

紙本，水墨。

現藏浙江省杭州市西泠印社。

羅漢圖局部之一

羅漢圖局部之二

羅漢圖局部之三

羅漢圖局部之四

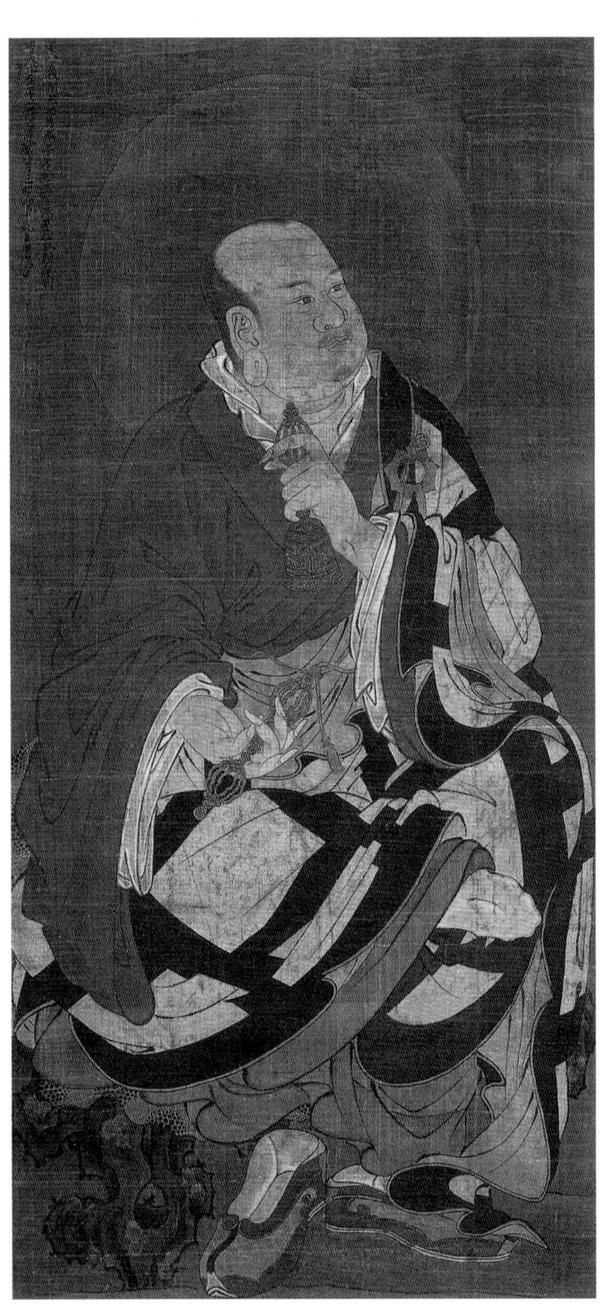

羅漢像

元

佚名

高128、寬63.1厘米。

絹本，設色。

現藏南京大學考古與藝術博物館。

四睡圖

元

佚名

高77.8、寬34.3厘米。

紙本，水墨。

現藏日本東京國立博物館。

杏花鴛鴦圖

元
佚名
高163、寬98.2厘米。
絹本，設色。
現藏上海博物館。

牡丹圖

元
佚名
高151.3、寬61厘米。
絹本，設色。
現藏日本京都高桐院。

梅花水仙圖

元

佚名

高29、寬401.5厘米。

紙本，水墨。

現藏上海博物館。

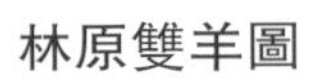

林原雙羊圖

元

佚名

高26、寬27.1厘米。

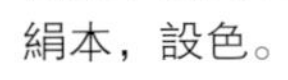

絹本，設色。

現藏四川博物院。

魚藻圖

元
佚名
高141.9、寬59.6厘米。
紙本，設色。
現藏臺北故宫博物院。

六魚圖

元
佚名
高101.5、寬49厘米。
絹本，水墨淡設色。
現藏美國波士頓美術館。

王　履（公元1332－?年）

明代畫家。昆山（今屬江蘇）人。字安道，號奇叟，又號抱獨老人。精詩文，善繪畫，宗法馬遠、夏圭，但能打破古人舊習，以自然爲師，自出意匠。

華山圖（選二開）

明

王履

高34.7、寬50.6厘米。

紙本，設色。共二十九開。

分别藏于故宫博物院和上海博物館，此二開現藏上海博物館。

華山圖之一

華山圖之二

徐　賁（公元1335－1393年）

明代畫家。蜀（今四川）人，居常州（今屬江蘇），後遷平江（今江蘇蘇州）。字幼文，號北郭生。工詩善畫，時稱“十才子”之一。

蜀山圖

明

徐賁

高66.3、寬27.3厘米。

紙本，水墨。

現藏臺北故宮博物院。

秋林草亭圖

明

徐賁

高99.6、寬26.5厘米。

紙本，水墨。

現藏上海博物館。

顧園

明代畫家。上虞（今浙江上虞南）人，一作蘇州（今屬江蘇）人。號雲屋。工畫山水。畫史中曾誤其爲顧琳。

丹山紀行圖

明

顧園

高30.9、寬332.3厘米。

紙本，設色。

現藏上海博物館。

王　紱（公元1362－1416年）

明代畫家。無錫（今屬江蘇）人。紱，一作芾，字孟端。後以字行，號友石生，又號九龍山人。以能書畫薦入翰林，永樂間擢爲中書舍人。善山水、竹石。

隱居圖

明

王紱

高141.7、寬70.7厘米。

紙本，水墨。

現藏故宮博物院。

山亭文會圖

明

王紱

高129.5、寬51.4厘米。

紙本，水墨淡設色。

現藏臺北故宮博物院。

古木竹石圖

明

王紱

高127.4、寬44.3厘米。

紙本，水墨。

現藏臺北故宮博物院。

北京八景圖（局部）

明

王紱

全圖高42.1、寬2006.5厘米。

紙本，水墨。

現藏中國國家博物館。

北京八景圖局部之一

北京八景圖局部之二

觀音像

明

王紱

高25.1、寬78厘米。

紙本，水墨。

現藏遼寧省博物館。

林　珀

明代畫家。侯官（今福建福州）人。字惟堅。長于墨竹，兼能山水。

梅莊書舍圖

明

林珀

高61.8、寬134.1厘米。

絹本，水墨。

現藏故宫博物院。

陳宗淵

明代畫家。山陰（今浙江紹興）人。明永樂初爲翰林五墨匠，後授中書舍人，歷事三朝，官至刑部主事。善畫山水，兼工寫真。

洪崖山房圖

明
陳宗淵
高27.1、寬106.2厘米。
紙本，水墨。
現藏故宮博物院。

邊景昭（公元? – 約1429年）

明代畫家。沙縣（今屬福建）人。字文進。宮廷畫家，永樂、宣德間任武英殿待詔。善畫禽鳥、花果，設色艷麗。與吕紀齊名，爲明代早期花鳥畫名家。

胎仙圖（局部）

明
邊景昭
全圖高30、寬818.2厘米。
紙本，水墨淡設色。
現藏臺北故宮博物院。

胎仙圖局部之一

胎仙圖局部之二

雪梅雙鶴圖

明
邊景昭
高156、寬91厘米。
絹本，設色。
現藏廣東省博物館。

三友百禽圖

明
邊景昭
高151.3、寬78.1厘米。
絹本，設色。
現藏故宮博物院。

謝　縉

明代畫家。蘇州（今屬江蘇）人，僑居金陵（今江蘇南京）。字孔昭，號叠山、蘭庭生、深翠道人。山水師王蒙、趙原，爲永樂、宣德間（公元1403–1435年）吴門名家之一。

東原草堂圖

明

謝縉

高109.9、寬50.1厘米。

紙本，設色。

現藏浙江省博物館。

雲陽早行圖

明

謝縉

高102.1、寬47.5厘米。

紙本，水墨。

現藏上海博物館。

謝　環

明代畫家。永嘉（治今浙江温州）人。字廷循。永樂中徵入畫院，宣德初授以錦衣衛千户。善山水、墨竹和人物。

杏園雅集圖

明

謝環

高37、寬401厘米。

絹本，設色。

現藏江蘇省鎮江博物館。此圖另有一本現藏美國紐約大都會博物館。

香山九老圖

明

謝環

高29.8、寬148.2厘米。

絹本，設色。

現藏美國克里夫蘭美術館。

李　在（公元? – 1431年）

明代畫家。莆田（今屬福建）人。字以政。宣德間爲畫院待詔。善畫山水，兼工人物。

歸去來辭–撫孤松而盤桓圖

明

李在

高27.7、寬84.1厘米。

紙本，水墨。

現藏遼寧省博物館。

山村圖

明

李在

高135、寬76厘米。

絹本，水墨。

現藏故宮博物院。

琴高乘鯉圖

明

李在

高164.2、寬95.6厘米。

絹本，設色。

現藏上海博物館。

夏　昶（公元1388－1470年）

明代畫家。昆山（今屬江蘇）人。初姓朱名昶，後姓夏，字仲昭，號自在居士、玉峰。擅畫墨竹，師王紱而略有變化。

鳳池春意圖

明

夏昶

高183.5、寬84.5厘米。

絹本，水墨。

現藏廣東省博物館。

戛玉秋聲圖

明

夏昶

高151、寬63.7厘米。

紙本，水墨。

現藏上海博物館。

淇澳圖（局部）

明

夏昶

全圖高30、寬1126.5厘米。

紙本，水墨。

現藏故宮博物院。

淇澳圖局部之一

淇澳圖局部之二

淇澳圖局部之三

淇水清風圖

明

夏昶

高27.5、寬105.5厘米。

紙本，水墨。

現藏故宮博物院。

瀟湘風雨圖（局部）

明

夏昶

全圖高43、寬654.4厘米。

紙本，水墨。

現藏上海博物館。

戴 進（公元1388－1462年）

明代畫家。錢塘（今浙江杭州）人。字文進，又字文節，號静庵，又號玉泉山人。擅長山水、人物、花果、翎毛，山水宗馬遠、夏圭，行筆頓挫多變，設色莊嚴蒼潤；人物和佛像行筆勁健豪放。其畫風在明代影響較大，爲“浙派”的倡始者。

溪堂詩意圖

明

戴進

高194、寬104厘米。

絹本，設色。

現藏遼寧省博物館。

洞天問道圖

明

戴進

高210.5、寬83厘米。

絹本，設色。

現藏故宮博物院。

溪橋策蹇圖

明

戴進

高137.5、寬63.1厘米。

絹本，設色。

現藏臺北故宮博物院。

達摩六祖圖

明

戴進

高33.8、寬220厘米。

絹本，設色。

現藏遼寧省博物館。

佛

長松五鹿圖

明

戴進

高142.5、寬72.4厘米。

絹本，設色。

現藏臺北故宮博物院。

關山行旅圖

明

戴進

高61.8、寬29.7厘米。

紙本，設色。

現藏故宮博物院。

周文靖

明代畫家。莆田（今屬福建）人。宣德間召值仁智殿，御試“枯木寒鴉”第一。工書善畫，山水蒼潤細密，兼工人物、花卉、鳥獸和樓閣。

雪夜訪戴圖

明

周文靖

高161.5、寬93.9厘米。

絹本，水墨淡設色。

現藏臺北故宮博物院。

古木寒鴉圖

明

周文靖

高151、寬71.6厘米。

紙本，水墨。

現藏上海博物館。

顏　宗（公元1393－約1459年）

明代畫家。南海（治今廣東廣州）人。字學淵。善畫山水，初學黄公望，後師法李成、郭熙，融北方山水畫風于南派之中。

湖山平遠圖（局部）

明

顏宗

全圖高30.6、寬512厘米。

絹本，設色。

現藏廣東省博物館。

杜　瓊（公元1396－1474年）

明代畫家。吳縣（今江蘇蘇州）人。字用嘉，號東原耕者、鹿冠道人，世稱“東原先生”。工詩善畫，擅山水人物，遠宗董源，近法王蒙，畫風蒼中有秀，開吳門派先風。

友松圖（下圖）

明
杜瓊
高29.1、寬92.3厘米。
紙本，設色。
現藏故宮博物院。

游心物表圖（上圖）

明

杜瓊

高29.2、寬44.2厘米。

紙本，設色。

現藏上海博物館。

脱屣名區圖

明

杜瓊

高29.2、寬44.2厘米。

紙本，設色。

現藏上海博物館。

山水圖

明

杜瓊

高122.5、寬39厘米。

紙本，設色。

現藏故宮博物院。

孫　隆

明代畫家。常州（今屬江蘇）人。隆，一作龍，字廷振，號都痴。宣德間官至侍御。善畫山水、人物。尤精花卉、翎毛、蔬果、草蟲，全以彩色渲染，融徐熙落墨花卉及趙昌没骨法而有所發展，自成一家。

芙蓉游鵝圖

明

孫隆

高159.3、寬84.1厘米。

絹本，設色。

現藏故宮博物院。

花鳥草蟲圖（選二開）

明

孫隆

高22.9、寬21.5厘米。

絹本，設色。共十二開。

現藏上海博物館。

花鳥草蟲圖之一

花鳥草蟲圖之二

寫生圖（選二開）

明

孫隆

高23.5、寬22厘米。

絹本，設色。共十二開。

現藏臺北故宮博物院。

寫生圖之一

寫生圖之二

朱瞻基（公元1399－1435年）

即明宣宗，自號長春真人。擅畫山水、人物，亦長翎毛草蟲。

戲猿圖

明
朱瞻基
高162.3、寬127.7厘米。
紙本，設色。
現藏臺北故宮博物院。

苦瓜鼠圖

明
朱瞻基
高28.2、寬38.5厘米。
紙本，水墨淡設色。
現藏故宮博物院。

王　謙

明代畫家。錢塘（今浙江杭州）人。字牧之，號冰壺道人。善畫梅花，宗王冕。

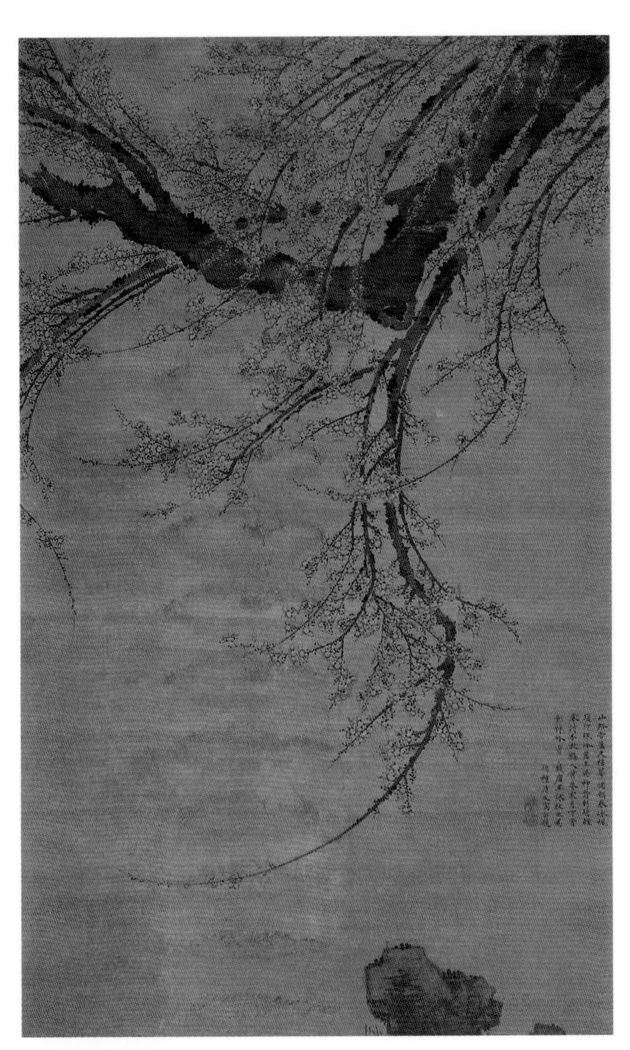

冰魂冷蕊圖

明
王謙
高186、寬111厘米。
絹本，設色。
現藏天津博物館。

梅花圖

明
王謙
高173.3、寬95.6厘米。
絹本，水墨。
現藏故宮博物院。

繆　輔

明代畫家。蘇州（今屬江蘇）人。官武英殿錦衣鎮撫。擅畫水藻游魚。

魚藻圖

明

繆輔

高171.3、寬99.1厘米。

綾本，設色。

現藏故宮博物院。

胡　聰

明代畫家。如皋（今屬江蘇）人。武英殿畫士。擅畫鞍馬，樹石得馬遠法。

柳蔭雙駿圖

明

胡聰

高102.2、寬50.5厘米。

絹本，設色。

現藏故宮博物院。

計　盛

明代畫家。宣德間爲文華殿畫士，擅畫人物。

貨郎圖

明

計盛

高191.5、寬99厘米。

絹本，設色。

現藏故宫博物院。

安正文

明代畫家。善山水、人物，尤長于界畫。

黄鶴樓圖

明

安正文

高162.5、寬105.5厘米。

絹本，設色。

現藏上海博物館。

倪端

明代畫家。杭州（今屬浙江）人。字仲正。宣德中徵入畫院。善畫道釋人物和山水，亦畫花卉及墨龍。

聘龐圖

明

倪端

高163.8、寬92.4厘米。

絹本，設色。

現藏故宮博物院。

黃　濟

明代畫家。侯官（今福建福州）人。擅寫人物，學元代顏輝筆意。

礪劍圖
明
黃濟
高170.7、寬111厘米。
絹本，設色。
現藏故宮博物院。

殷　偕

明代畫家。金陵（今江蘇南京）人。字汝同。宮廷畫師，善畫花鳥。

鷹擊天鵝圖
明
殷偕
高158、寬89.6厘米。
絹本，設色。
現藏南京博物院。

商　喜

明代畫家。會稽（今浙江紹興）人。字惟吉。宣德間授錦衣衛指揮。畫山水、人物、花鳥全摹宋人筆意。尤善歷史畫。

關羽擒將圖

明

商喜

高200、寬237厘米。

絹本，設色。

現藏故宮博物院。

沈　貞（公元1400－?年）

明代畫家。長洲（今江蘇蘇州）人。又名貞吉，以字行，號南齋、陶然道人，又號陶庵。善繪山水。

秋林觀瀑圖
明
沈貞
高143、寬61厘米。
紙本，設色。
現藏江蘇省蘇州博物館。

陳　録

明代畫家。會稽（今浙江紹興）人。字憲章，後以字行，號静齋、如隱居士。能詩善畫，尤工墨梅及松竹蘭蕙，筆意儒雅，畫梅與王謙齊名。

墨梅圖
明
陳録
高222.5、寬57.6厘米。
紙本，水墨。
現藏天津博物館。

孤山烟雨圖（局部）

明

陳録

全圖高30.5、寬890厘米。

絹本，水墨。

現藏故宫博物院。

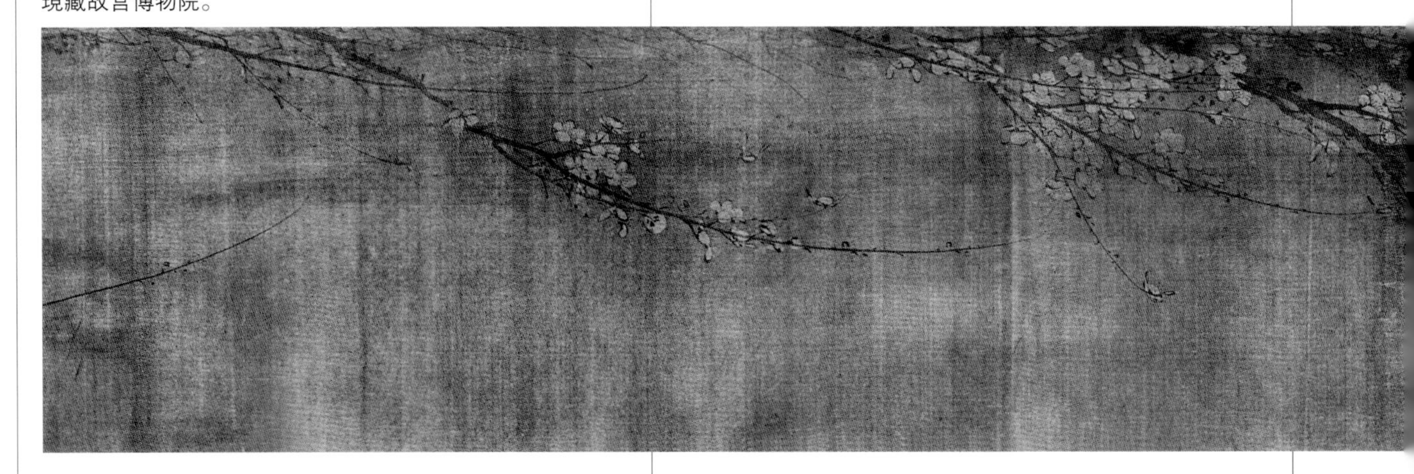

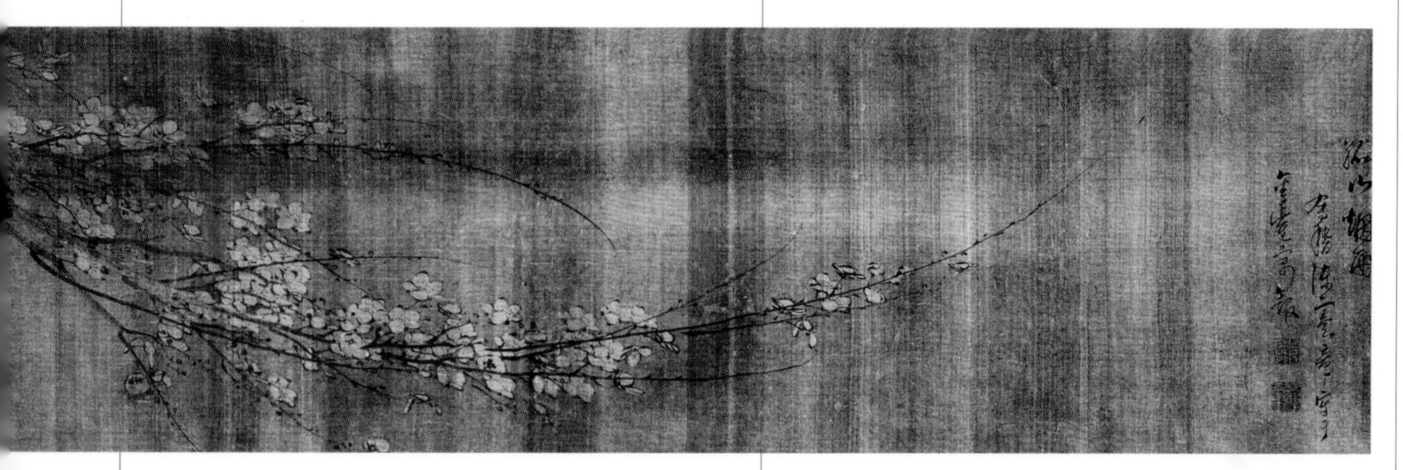
孤山烟雨圖局部之一

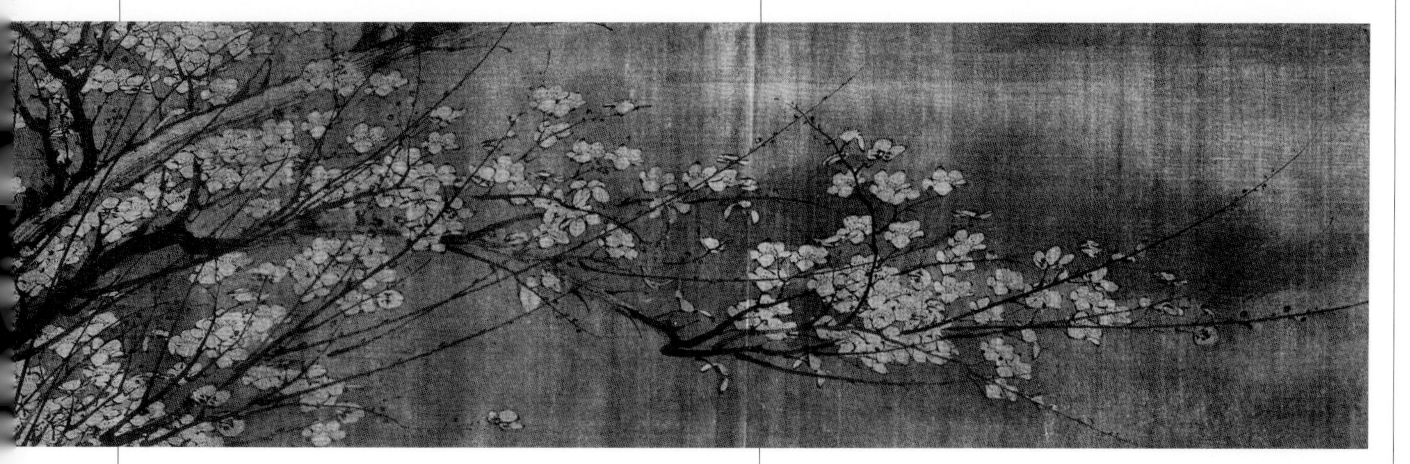
孤山烟雨圖局部之二

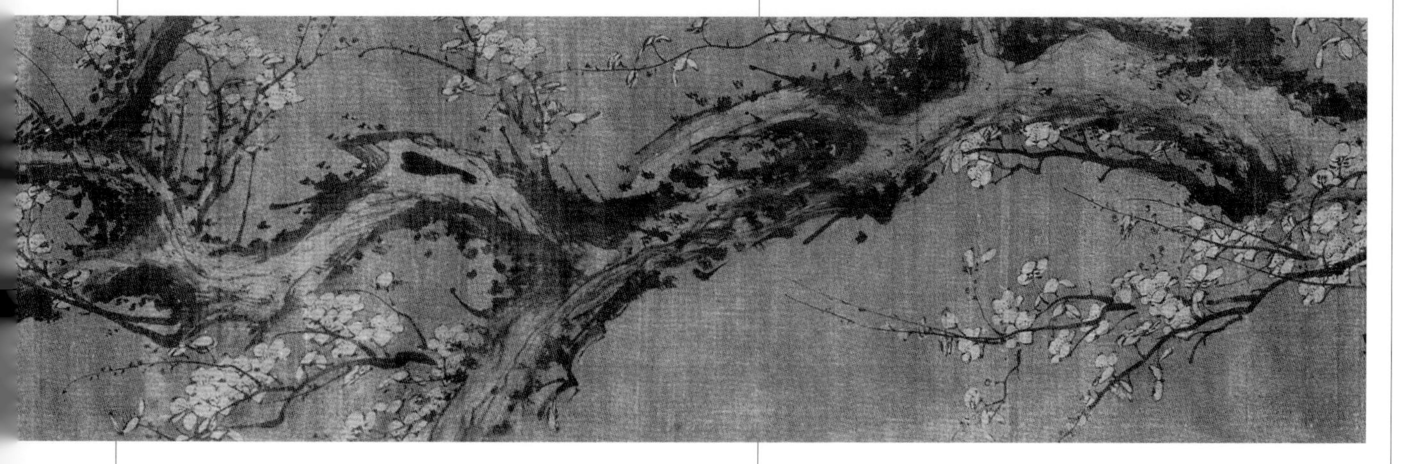
孤山烟雨圖局部之三

夏　芷

明代畫家。錢塘（今浙江杭州）人。字庭芳，一作廷芳。師戴進，善畫山水、人物諸體，直逼乃師。

歸去來辭－或棹孤舟圖

明
夏芷
高27.7、寬70厘米。
紙本，水墨。
現藏遼寧省博物館。

金　潤（公元1405－?年）

明代畫家。上元（今江蘇南京）人。字伯玉，又字静虚。山水法方從義，清淡秀逸。

溪山真賞圖

明
金潤
高29、寬106.5厘米。
紙本，設色。
現藏天津博物館。

劉珏（公元1410－1472年）

明代畫家。長洲（今江蘇蘇州）人。字廷美，號完庵。工書善畫，山水學王蒙。

夏雲欲雨圖

明

劉珏

高165.7、寬95厘米。

絹本，水墨。

現藏故宮博物院。

清白軒圖

明

劉珏

高97.2、寬35.4厘米。

紙本，水墨。

現藏臺北故宮博物院。

林　良（約公元1416－1480年）

明代畫家。南海（治今廣東廣州）人。字以善。天順間供奉内廷。善畫水墨禽鳥、樹石，繼承南宋院體派放縱簡括之法，爲明代院體花鳥畫的代表。

山茶白羽圖

明

林良

高152.3、寬77.2厘米。

絹本，設色。

現藏上海博物館。

灌木集禽圖（局部）

明

林良

全圖高34、寬1211.2厘米。

紙本，水墨。

現藏故宮博物院。

灌木集禽圖局部之一

灌木集禽圖局部之二

秋林聚禽圖

明

林良

高153、寬77厘米。

絹本，設色。

現藏廣東省廣州美術館。

蘆雁圖

明

林良

高138.8、寬70厘米。

絹本，水墨。

現藏故宮博物院。

雙鷹圖

明

林良

高166、寬100厘米。

絹本，設色。

現藏廣東省博物館。

馬軾

明代畫家。嘉定（今屬上海）人。字敬瞻。工詩，善畫山水。山水宗郭熙。

春塢村居圖

明

馬軾

高178.6、寬112.1厘米。

絹本，設色。

現藏臺北故宮博物院。

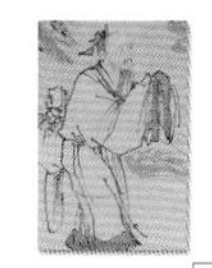

歸去來辭–問征夫以前路圖

明

馬軾

高27.7、寬60厘米。

紙本，水墨。

現藏遼寧省博物館。

歸去來辭–稚子候門圖

明

馬軾

高27.7、寬74厘米。

紙本，水墨。

現藏遼寧省博物館。

姚　綬（公元1422 – 1495年）

明代畫家。嘉興（今屬浙江）人。字公綬，號丹丘生，又號谷庵、雲東逸史。擅畫山水，宗吴鎮，也取法趙孟頫和王蒙。

秋江漁隱圖
明
姚綬
高162.2、寬59厘米。
紙本，設色。
現藏故宫博物院。

竹石圖
明
姚綬
高150.5、寬56.7厘米。
紙本，設色。
現藏故宫博物院。

周　臣（公元1426－1509年）

明代畫家。吳縣（今江蘇蘇州）人。字舜卿，號東村。畫山水取法于李唐、馬遠、夏圭，筆力疏秀，兼工人物。唐寅、仇英均出自其門。

桃花源圖

明

周臣

高161.2、寬102.3厘米。

絹本，設色。

現藏江蘇省蘇州博物館。

辟纑圖

明

周臣

高31.5、寬159厘米。

絹本，設色。

現藏天津博物館。

柴門送客圖

明

周臣

高120.2、寬56.9厘米。

紙本，設色。

現藏南京博物院。

香山九老圖

明

周臣

高177、寬89厘米。

絹本，設色。

現藏天津博物館。

秋林閑話圖
明
周臣
高19.9、寬53.7厘米。
金箋，水墨淡設色。
現藏上海博物館。

寒林激湍圖
明
周臣
高19.7、寬54.8厘米。
金箋，設色。
現藏上海博物館。

沈　周（公元1427－1509年）

明代畫家。長洲（今江蘇蘇州）人。字啓南，號石田，又號白石翁。善畫山水、花卉、鳥獸、蟲魚，皆極神妙。初承家法，兼師杜瓊，後取法董源、巨然、李成，中年以黄公望爲宗，晚年醉心吴鎮。早年多作盈尺小景，中年後始拓爲大幅，筆墨堅定豪放，形成沉着酣肆的風貌。與文徵明、唐寅、仇英合稱“吴門四家”。

廬山高圖

明

沈周

高193.8、寬98.1厘米。

紙本，設色。

現藏臺北故宫博物院。

東莊圖（選二開）

明

沈周

高28.7、寬33厘米。

紙本，設色。共二十一開。

現藏南京博物院。

東莊圖之一

東莊圖之二

湖山佳趣圖

明

沈周

高31.7、寬813厘米。

紙本，設色。

現藏浙江省博物館。

松石圖

明

沈周

高156.5、寬72.9厘米。

紙本，水墨。

現藏故宮博物院。

匡山秋霽圖

明

沈周

高211.4、寬110厘米。

紙本，水墨。

現藏上海博物館。

墨菜辛夷圖

明

沈周

高35、寬58.7厘米。

紙本，設色。

現藏故宮博物院。

墨菜辛夷圖之一

墨菜辛夷圖之二

花鳥圖（選二開）

明

沈周

高30.3、寬52.4厘米。
紙本，設色。共十開。
現藏江蘇省蘇州博物館。

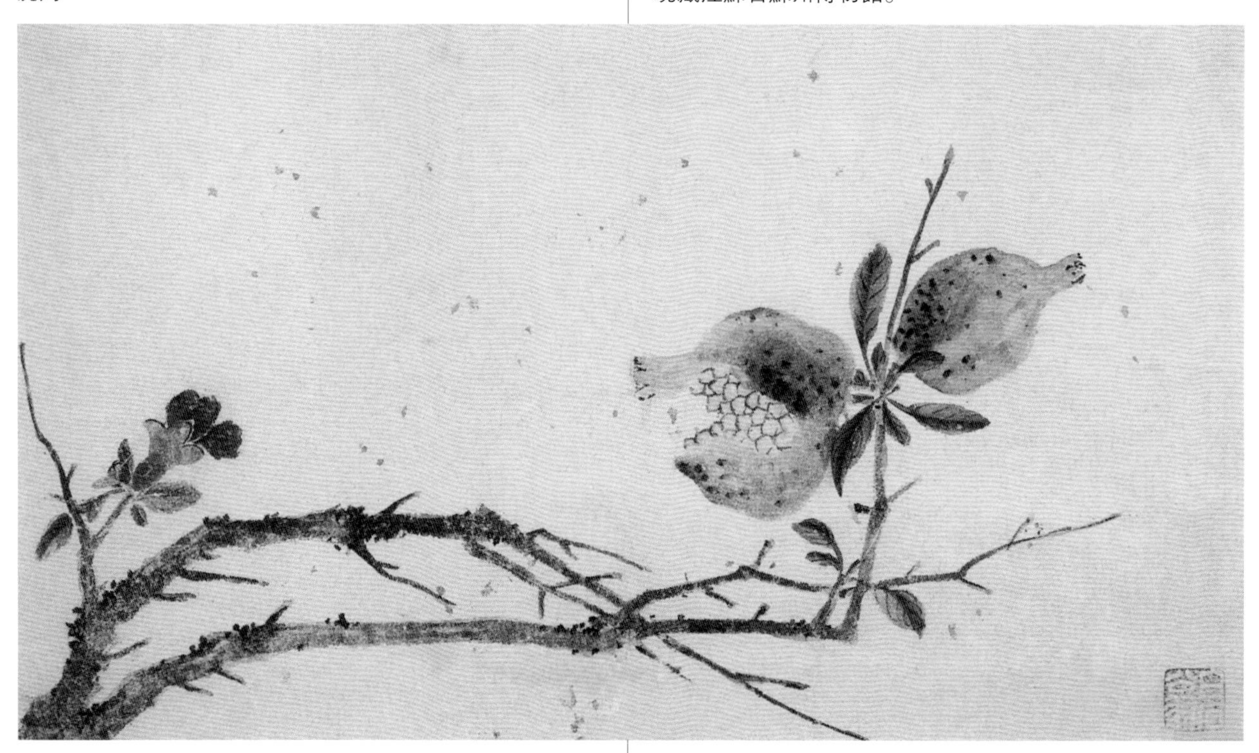

花鳥圖之一

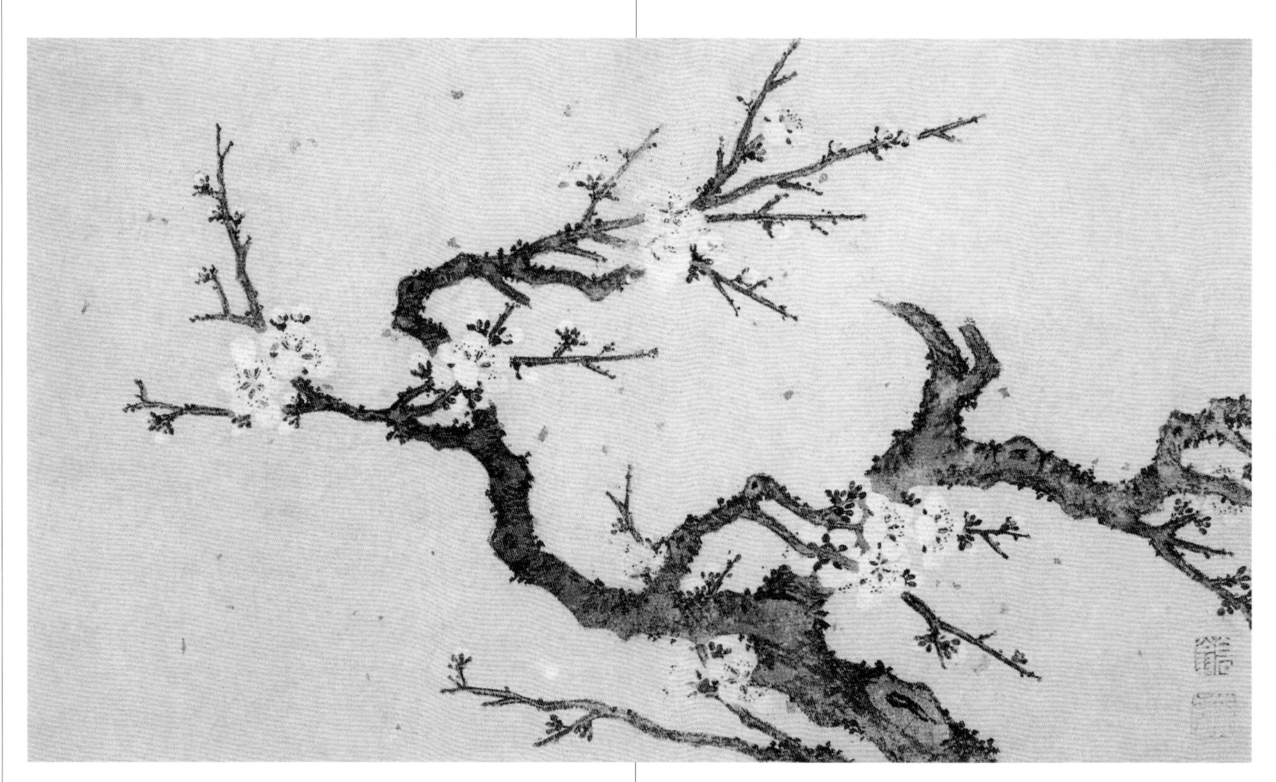

花鳥圖之二

卧游圖（選二開）

明

沈周

高28.1、寬37.6厘米。

紙本，水墨或設色。共十九開。

現藏故宮博物院。

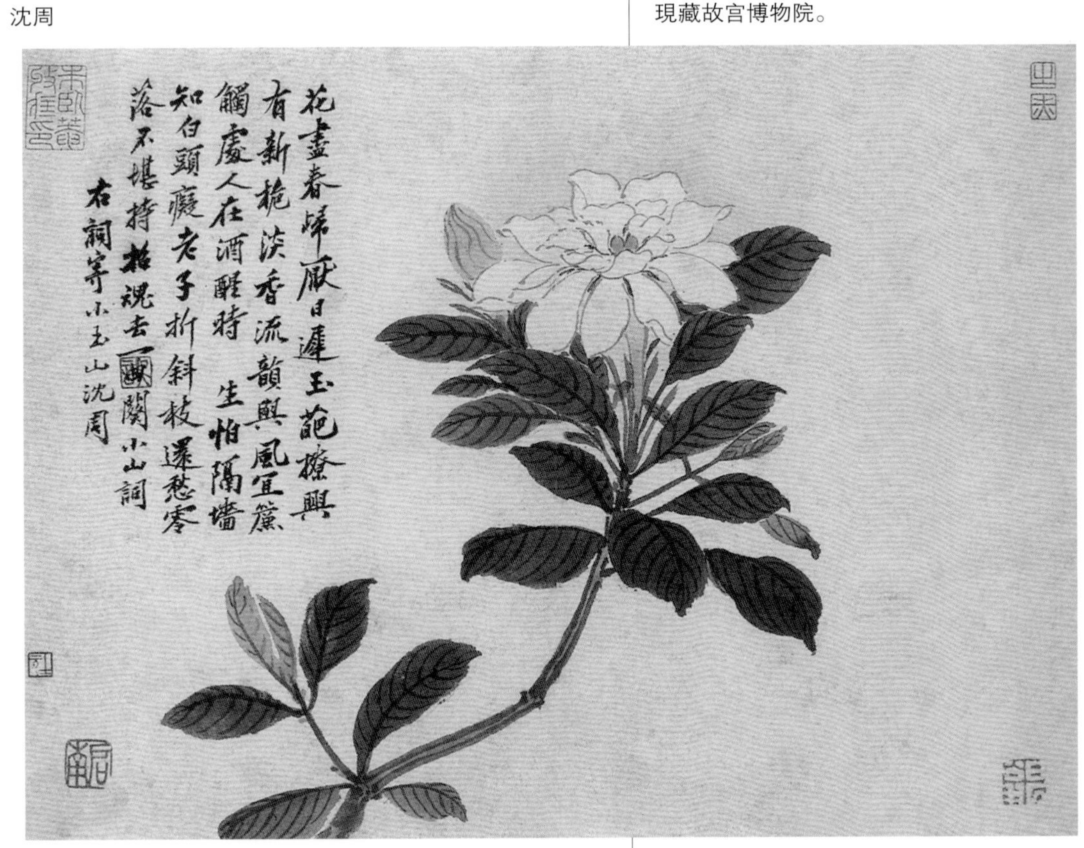

卧游圖之一

卧游圖之二

寫生圖（選四開）

明

沈周

四開分別高34.8、34.7、34.9、34.8厘米；寬56.9、56.3、56.2、53.8厘米。

紙本，水墨。共十六開。

現藏臺北故宮博物院。

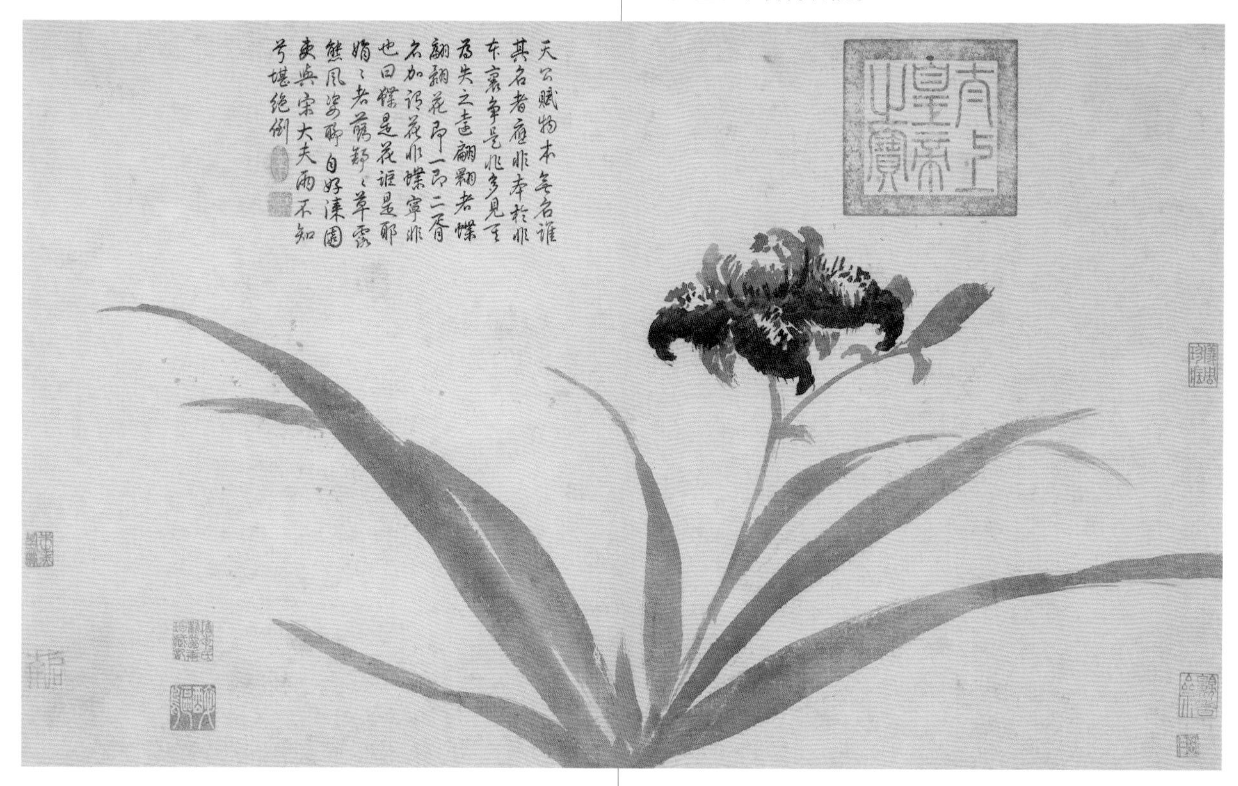

寫生圖之一

寫生圖之二

寫生圖之三

寫生圖之四

杜　堇

明代畫家。丹徒（今江蘇鎮江）人，居北京。初姓陸，字耀南，一作懼男，號檉居、古狂、青霞亭長等。工繪畫，尤精于人物仕女，時稱“白描第一手”。

題竹圖

明

杜堇

高191、寬104.5厘米。

紙本，水墨。

現藏故宮博物院。

玩古圖

明

杜堇

高126.1、寬187厘米。

絹本，設色。

現藏臺北故宮博物院。

仕女圖

明

杜堇

高30.5、寬168.9厘米。

絹本，設色。

現藏上海博物館。

陶　成

明代畫家。寶應（今屬江蘇）人。字懋學，一作孟學，號雲湖山人。工書善畫，山水多施青緑，用勾勒法畫竹兔和鶴鹿。

北觀圖

明

陶成

高27.8、寬124厘米。

紙本，設色。

現藏上海博物館。

蟾宫月兔圖

明

陶成

高193.2、寬106.4厘米。

絹本，設色。

現藏故宫博物院。

郭 詡（公元1456－約1529年）

明代畫家。泰和（今屬江西）人。字仁弘，號清狂，又號清狂道人、疏狂散人。善畫人物、山水、花卉、草蟲，作人物有奇趣。

雜畫（選二開）

明

郭詡

高28.5、寬46.4厘米。（每頁略有大小）

紙本，設色。共八開。

現藏上海博物館。

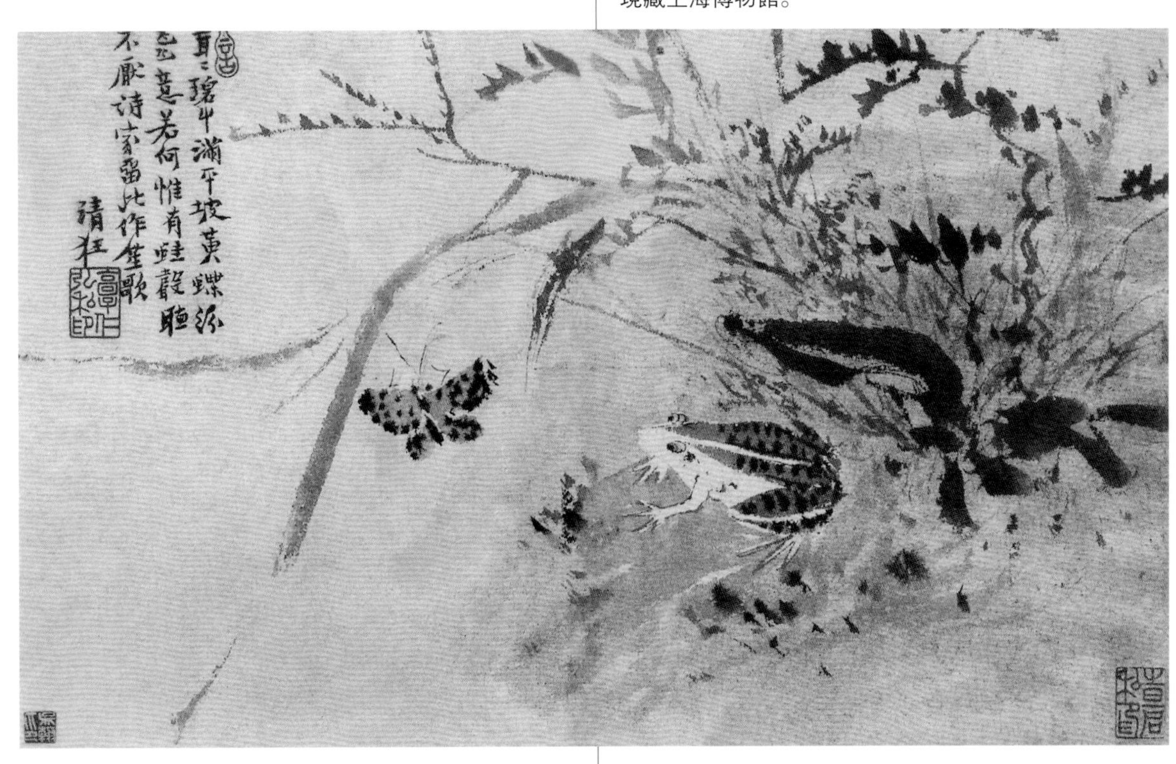

雜畫之一

雜畫之二

江夏四景圖（局部）

明

郭詡

全圖高31、寬974.5厘米。

紙本，設色。

現藏湖北省武漢市文物商店。

江夏四景圖局部之一

江夏四景圖局部之二

吴　偉（公元1459－1508年）

明代畫家。江夏（今湖北武漢）人，流落常熟（今屬江蘇），被錢昕收養。字次翁，又字士英、魯夫，號小仙。成化間入宫廷任仁智殿待詔，弘治朝授錦衣衛百户，賜“畫狀元”印。擅畫山水和白描人物，爲“浙派”重要畫家，創立了“江夏派”。

長江萬里圖

明

吴偉

高27.8、寬976.2厘米。

絹本，水墨。

現藏故宫博物院。

長江萬里圖之一

長江萬里圖之二

長江萬里圖之三

弘治十八年乙丑九月望湖
湘吳偉寓武昌郡齋
中制

長江萬里圖之四

長江萬里圖之五

長江萬里圖之六

漁樂圖

明

吴偉

高270、寬174厘米。

紙本，設色。

現藏故宫博物院。

灞橋風雪圖

明
吴偉
高183.6、寬110.2厘米。
絹本，水墨淡設色。
現藏故宫博物院。

雪漁圖

明
吴偉
高245、寬156厘米。
絹本，水墨。
現藏湖北省博物館。

鐵笛圖

明

吴偉

高32.1、寬155.4厘米。

紙本，水墨。

現藏上海博物館。

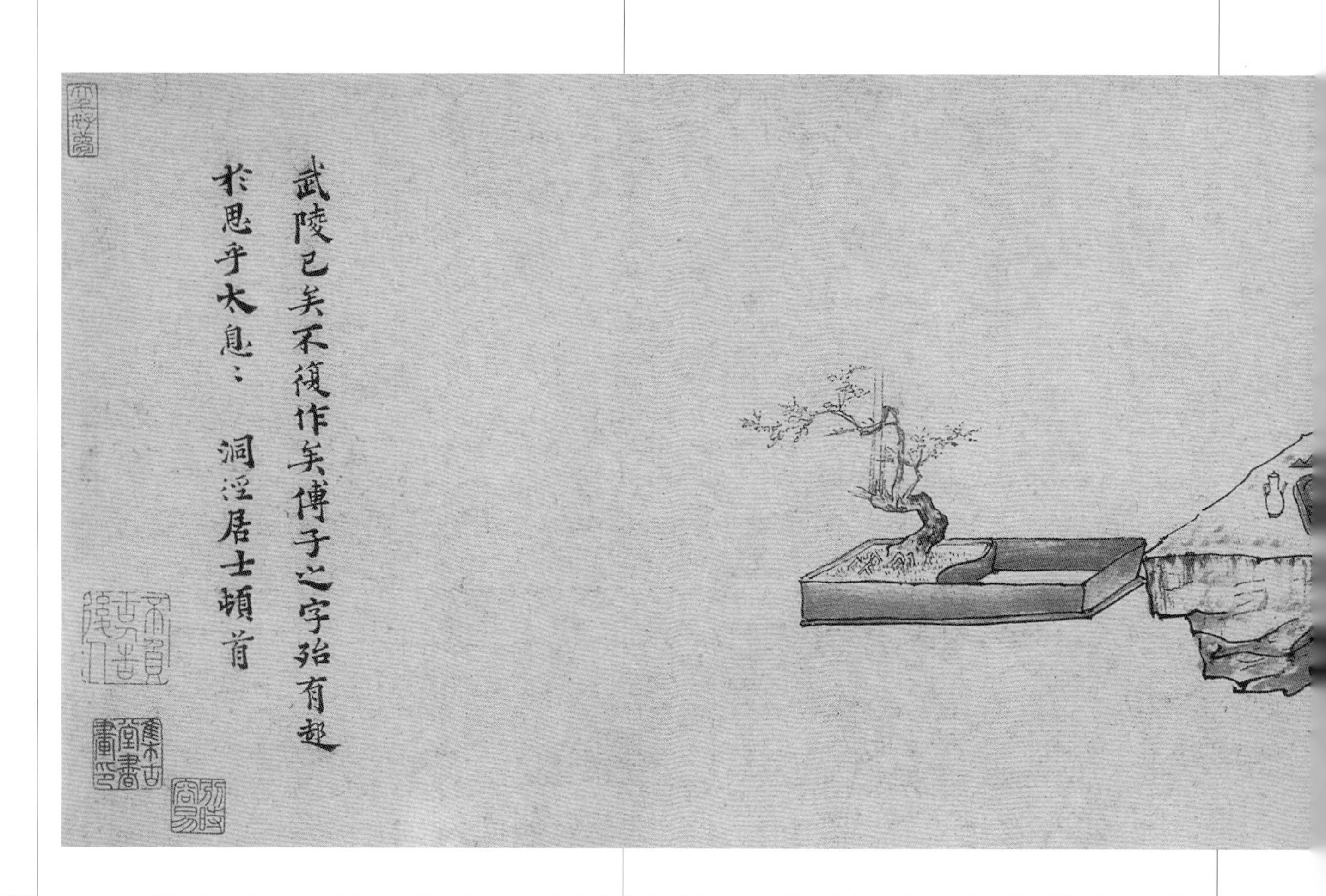

武陵春圖

明

吴偉

高27.5、寬93.9厘米。

紙本，水墨。

現藏故宫博物院。

汪　肇

明代畫家。休寧（今屬安徽）人。字德初、克終，號海雲。工畫山水、人物和花鳥，宗戴進和吴偉，“浙派”名家之一。

起蛟圖

明

汪肇

高167.5、寬100.9厘米。

絹本，水墨。

現藏故宫博物院。

柳禽白鷳圖

明

汪肇

高190、寬103厘米。

絹本，設色。

現藏故宫博物院。

蔣　嵩

明代畫家。金陵（今江蘇南京）人。嵩，一作崧。號三松、徂來山人。善畫山水、人物，宗吴偉。爲“浙派”後期畫家。

漁舟讀書圖

明

蔣嵩

高171、寬107.5厘米。

絹本，水墨。

現藏故宫博物院。

無盡溪山圖

明

蔣嵩

高123、寬53.5厘米。

絹本，水墨。

現藏上海博物館。

王世昌（約公元1462－?年）

明代畫家。歷城（今山東濟南）人。號歷山。工畫山水人物。

山水圖

明

王世昌

高245、寬381.5厘米。

絹本，水墨淡設色。

現藏臺北故宮博物院。

孫　艾

明代畫家。常熟（今屬江蘇）人。字世節，自號西川翁。工繪畫，山水宗黄公望、王蒙，花卉學錢選。

木棉圖

明

孫艾

高75.4、寬31.5厘米。

紙本，設色。

現藏故宫博物院。

張　路（公元1464－1538年）

明代畫家。祥符（今河南開封）人。字天馳，號平山。工書善畫，長于人物、山水，兼工花鳥。人物學吴偉，山水學戴進。

雜畫（選四開）

明

張路

高31.6、寬59.3厘米。

紙本，設色。共十八開。

現藏上海博物館。

雜畫之一

雜畫之二

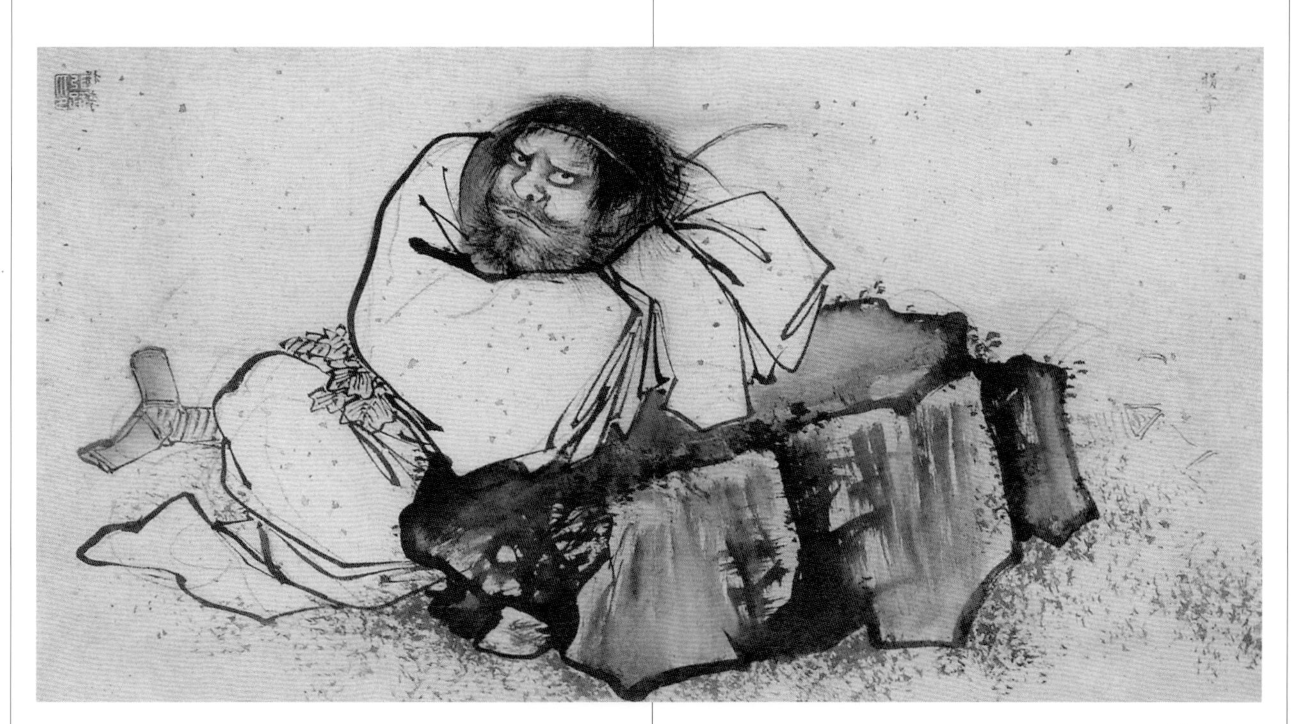

雜畫之三

雜畫之四

吹簫女仙圖

明

張路

高141.4、寬90.5厘米。

絹本，水墨。

現藏故宫博物院。

風雨歸莊圖

明

張路

高183.5、寬110.5厘米。

絹本，設色。

現藏故宫博物院。

蒼鷹逐兔圖

明
張路
高158、寬97厘米。
絹本，設色。
現藏南京博物院。

王　諤

明代畫家。奉化（今屬浙江）人。字廷直。弘治元年（公元1488年）以繪畫供事仁智殿，正德元年（公元1506年）任錦衣千户。長于山水、人物，宗南宋馬遠、夏圭畫法。

寒山圖

明
王諤
高216、寬107厘米。
絹本，設色。
現藏山東省博物館。

唐　寅（公元1470－1524年）

明代畫家。吴縣（今江蘇蘇州）人。字子畏，號伯虎，又號六如居士、桃花庵主、逃禪仙吏等。弘治十一年（公元1498年）南直隸鄉試解元。性格狂逸不羈，自稱“江南第一風流才子”。工書善畫，山水、人物、花鳥無所不精。山水學李唐、劉松年和周臣，人物設色妍雅，花鳥喜用水墨。

灌木叢篠圖

明

唐寅

高109.4、寬58.9厘米。

絹本，水墨。

現藏江蘇省蘇州博物館。

騎驢歸思圖

明

唐寅

高77.7、寬37.5厘米。

絹本，設色。

現藏上海博物館。

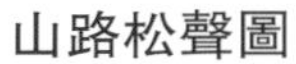

山路松聲圖

明

唐寅

高194.5、寬102.8厘米。

絹本，設色。

現藏臺北故宫博物院。

女几山前野路横松聲偏解合泉聲試從
靜裏閑傾耳便覺沖然道氣生
治下唐寅畫呈
李父母大人先生

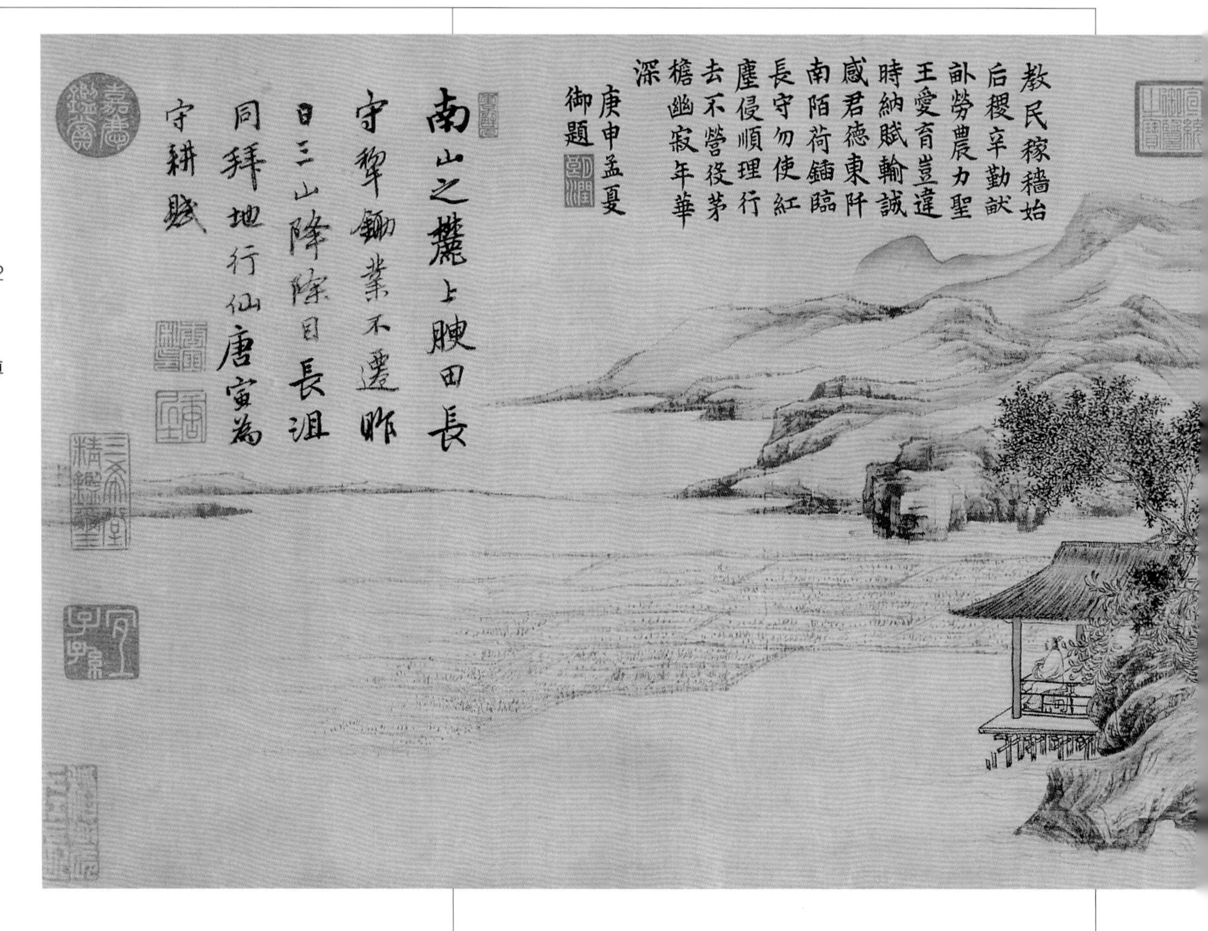

守耕圖
明
唐寅
高32.2、寬99.2厘米。
絹本，水墨。
現藏臺北故宮博物院。

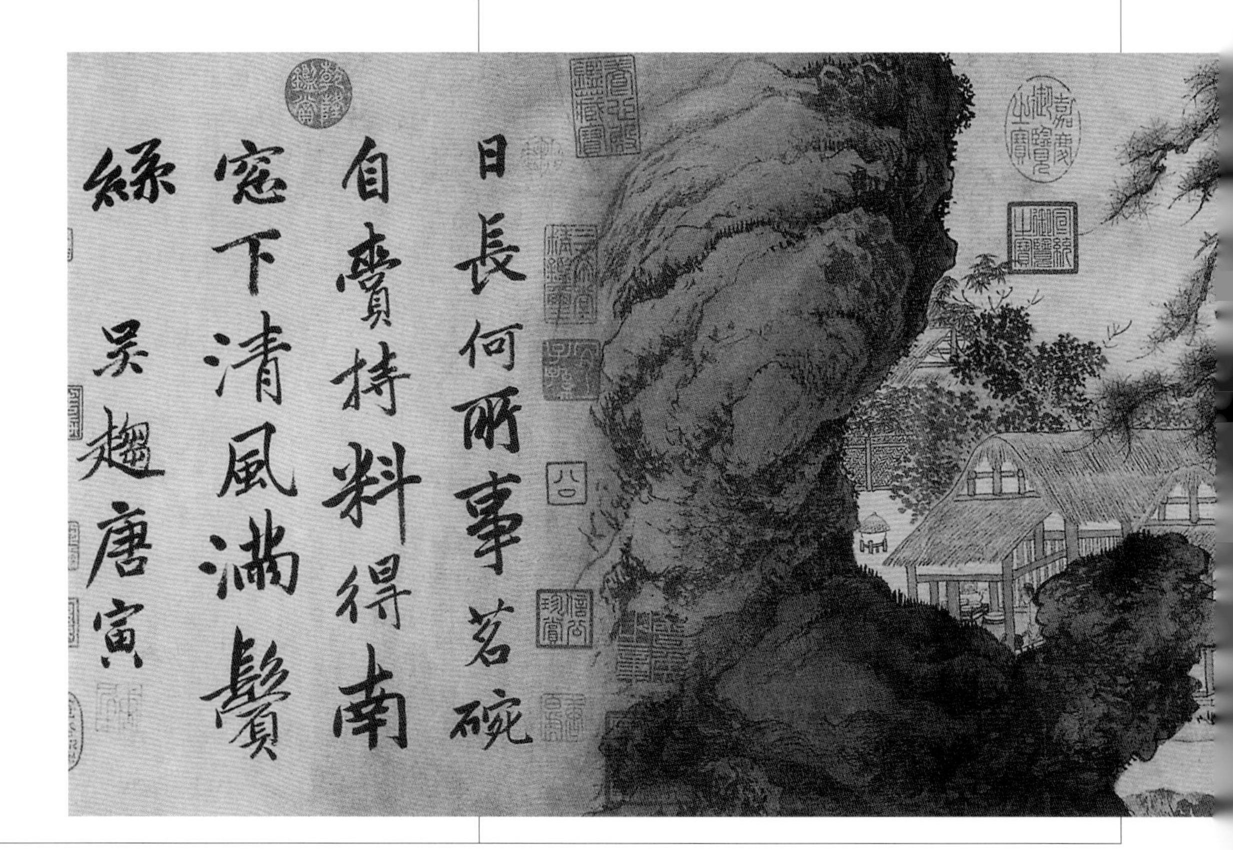

事茗圖
明
唐寅
高31.1、寬105.8厘米。
紙本，水墨。
現藏故宮博物院。

溪山漁隱圖

明

唐寅

高29.4、寬351厘米。

絹本，設色。

現藏臺北故宮博物院。

茶竈魚竿養
野心水田漠樹
陰陰太平時
節英雄懶湖
海無邊草澤
深　唐寅畫

看泉聽風圖

明

唐寅

高72.2、寬34.7厘米。

絹本，水墨。

現藏南京博物院。

渡頭帘影圖

明

唐寅

高170.3、寬90.3厘米。

絹本，設色。

現藏上海博物館。

春山伴侶圖

明

唐寅

高82、寬44厘米。

紙本，設色。

現藏上海博物館。

秋風紈扇圖

明

唐寅

高77.1、寬39.3厘米。

紙本，水墨。

現藏上海博物館。

孟蜀宮妓圖

明

唐寅

高124.7、寬63.6厘米。

絹本，設色。

現藏故宮博物院。

椿樹雙雀圖

明

唐寅

高50、寬30.8厘米。

絹本，水墨。

現藏江蘇省吴江博物館。

文徵明（公元1470－1559年）

明代畫家。長洲（今江蘇蘇州）人。初名壁，一作璧，字徵明，後以字行，改字徵仲，號衡山居士、停雲生等。授翰林待詔，故稱“文待詔”。詩、文、書、畫名聞一時。畫學沈周，早年畫風細謹，中年較粗放，晚年粗細兼備。擅畫山水，所畫多爲江南山水和文人生活。亦善畫花卉和人物。門人衆多，形成“吴門派”，與沈周、唐寅、仇英合稱“吴門四家”。

湘君湘夫人圖（右圖）

明

文徵明

高100.9、寬35.6厘米。

紙本，設色。

現藏故宫博物院。

惠山茶會圖

明

文徵明

高21.9、寬67厘米。

紙本，設色。

現藏故宮博物院。

猗蘭室圖

明

文徵明

高26.2、寬67厘米。

紙本，水墨。

現藏故宮博物院。

霜柯竹石圖

明

文徵明

高76.9、寬30.7厘米。

紙本，水墨。

現藏上海博物館。

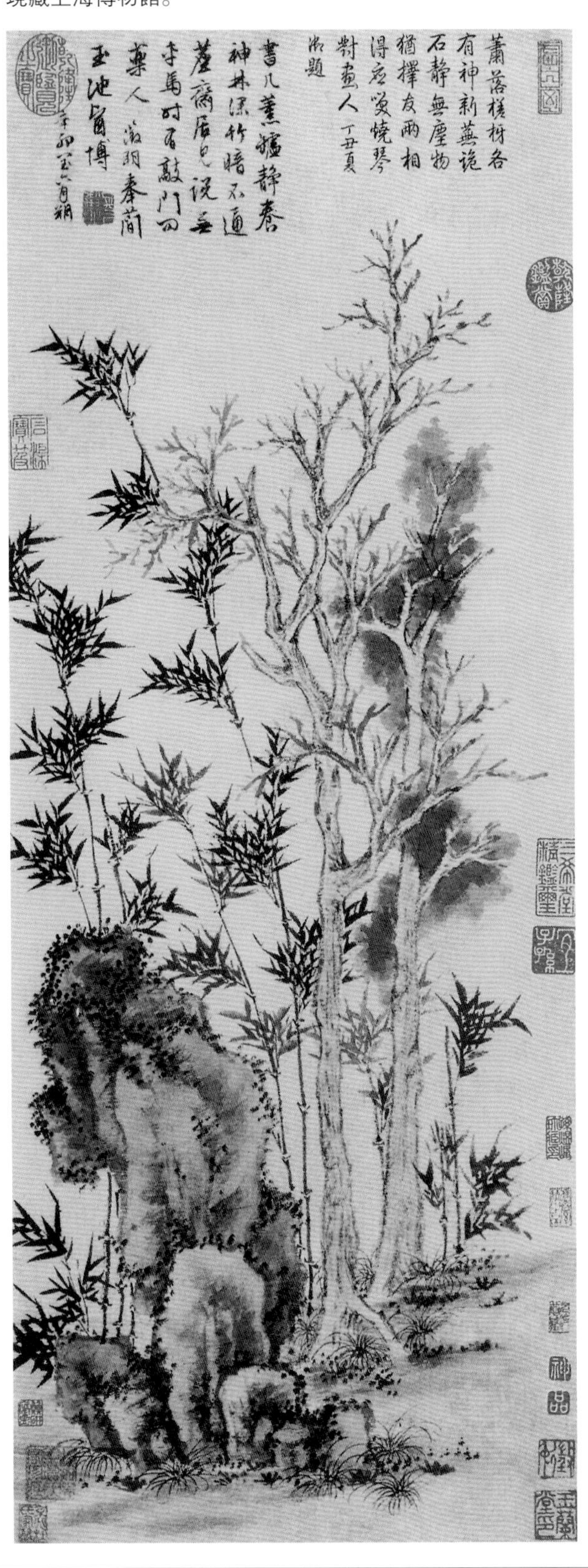

墨竹圖

明

文徵明

高60、寬30厘米。

紙本，水墨。

現藏吉林省博物院。

寒林鍾馗圖

明

文徵明

高69.6、寬42.5厘米。

紙本，水墨淡設色。

現藏臺北故宮博物院。

石湖清勝圖

明

文徵明

高23.3、寬67.2厘米。

紙本，設色。

現藏上海博物館。

東園圖

明

文徵明

高30.2、寬126.4厘米。

絹本，設色。

現藏故宮博物院。

東園圖

茂松清泉圖

明

文徵明

高89.9、寬44.1厘米。

紙本，設色。

現藏臺北故宮博物院。

江南春圖（右圖）

明

文徵明

高106、寬30厘米。

紙本，設色。

現藏臺北故宮博物院。

萬壑争流圖

明

文徵明

高132.7、寬35.3厘米。

紙本，設色。

現藏南京博物院。

古木寒泉圖

明

文徵明

高194.1、寬59.3厘米。

絹本，設色。

現藏臺北故宮博物院。

虎山橋圖（局部）

明

文徵明

全圖高30.5、寬213厘米。

絹本，設色。

現藏南京博物院。

虎山橋圖局部之一

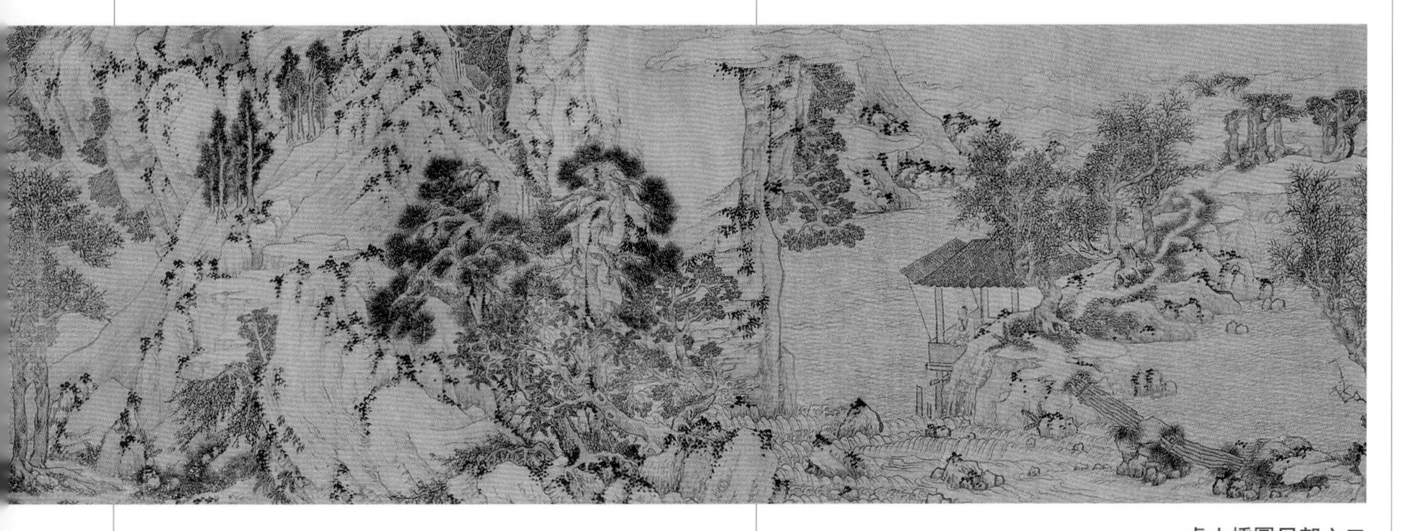

虎山橋圖局部之二

虎山橋圖局部之三

萬壑争流圖

明

文徵明

高17.8、寬51.3厘米。

紙本，設色。

現藏浙江省寧波市天一閣博物館。

蘭竹圖

明

文徵明

高19.8、寬54.2厘米。

紙本，水墨。

現藏臺北故宫博物院。

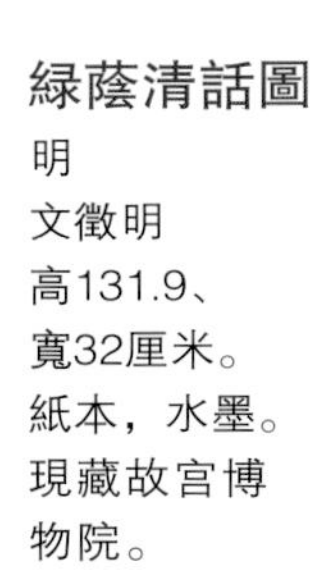

緑蔭清話圖

明

文徵明

高131.9、

寬32厘米。

紙本，水墨。

現藏故宫博

物院。

張　靈

明代畫家。吴縣（今江蘇蘇州）人。字夢晋。工書善畫，長于人物、山水，受唐寅影響極大。

織女圖

明

張靈

高135.4、寬56.4厘米。

紙本，設色。

現藏上海博物館。

秋林高士圖

明

張靈

高83.3、寬32.5厘米。

紙本，設色。

現藏故宮博物院。

徐　霖（公元1473－1549年）

明代畫家。原籍長洲（今江蘇蘇州），家住金陵（今江蘇南京）。字子仁，號九峰道人、髯翁等。善畫山水、花卉、人物。

菊石野兔圖

明

徐霖

高160、寬52厘米。

絹本，設色。

現藏故宮博物院。

吕　紀（公元1477－?年）

明代畫家。鄞縣（今浙江寧波）人。字廷振，號樂愚，一作樂漁。弘治年間受詔于宫廷，供事仁智殿，授錦衣衛指揮使。以花鳥著名，初學邊景昭，後仿唐、宋諸家。他的畫風繼承宋代院體風格，以工整精麗取勝，落筆精工，設色鮮麗。亦作水墨寫意花鳥。與林良齊名。

獅頭鵝圖

明

吕紀

高191、寬104厘米。

絹本，設色。

現藏遼寧省博物館。

梅茶雉雀圖

明

吕紀

高183.1、寬97.8厘米。

絹本，設色。

現藏浙江省博物館。

柳陰白鷺圖

明

吕紀

高219.5、寬107厘米。

絹本，設色。

現藏山東省博物館。

桂菊山禽圖

明
呂紀
高190、寬106厘米。
絹本，設色。
現藏故宮博物院。

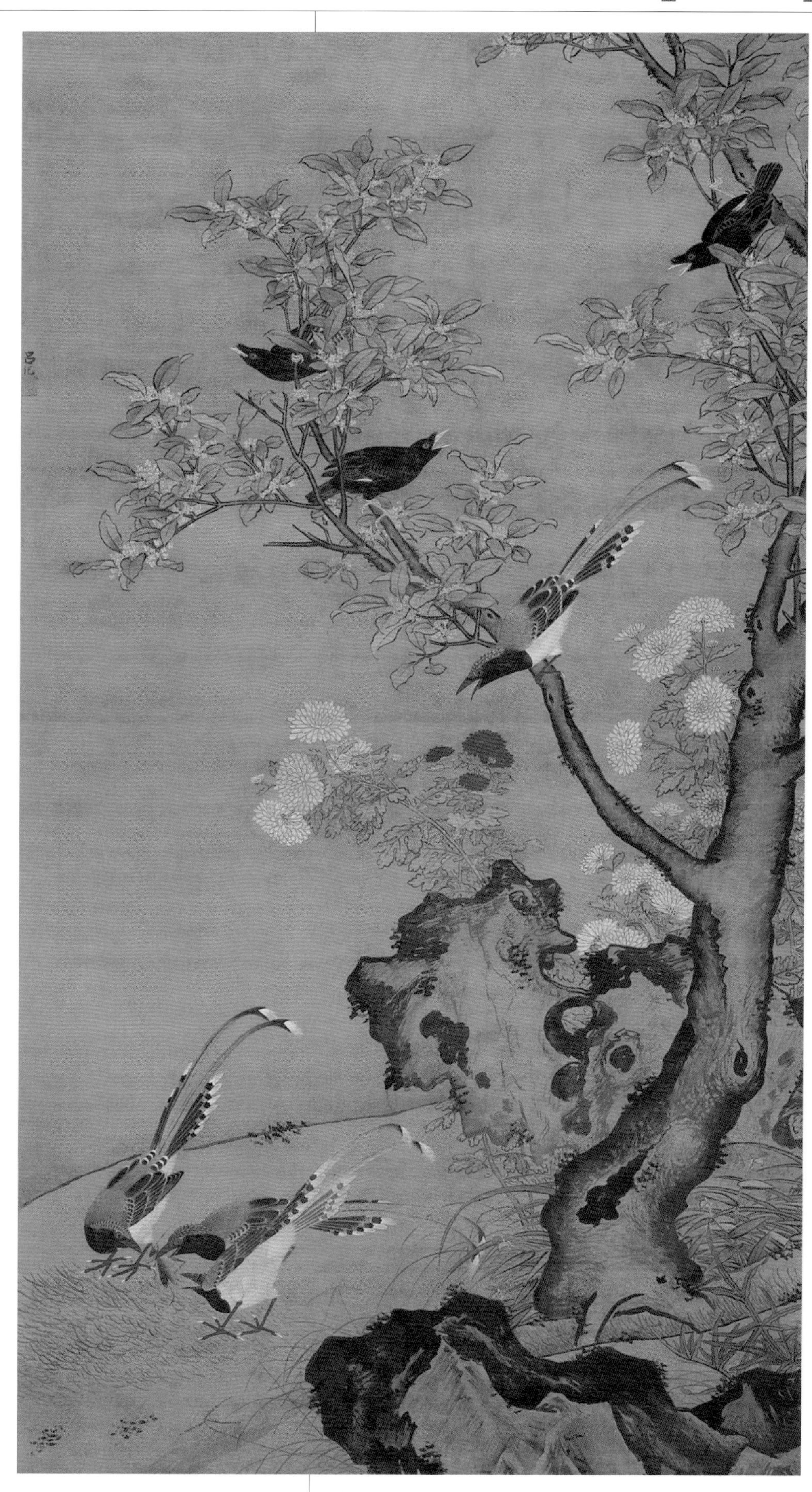

秋渚水禽圖

明

吕紀

高177.2、寬107.3厘米。

絹本，設色。

現藏臺北故宮博物院。

月明宿雁圖

明

吕紀

高170、寬103.5厘米。

絹本，設色。

現藏江西省婺源縣博物館。

寒雪山鷄圖（左圖）

明

吕紀

高135.3、寬47.2厘米。

紙本，水墨。

現藏臺北故宫博物院。

朱　端（公元? – 1512年）

明代畫家。海鹽（今屬浙江）人。字克正，號一樵。曾以畫于正德時進直仁智殿。工書善畫，山水宗馬遠，花鳥仿吕紀，人物師盛懋。

松院閑吟圖

明

朱端

高230.2、寬124.3厘米。

絹本，設色。

現藏天津博物館。

烟江晚眺圖

明

朱端

高168、寬107厘米。

絹本，設色。

現藏故宫博物院。

竹石圖

明
朱端
高167.4、寬100.5厘米。
絹本，水墨。
現藏故宫博物院。

陳道復（公元1483－1544，一作1482–1539年）

明代畫家。長洲（今江蘇蘇州）人。初名淳，字道復，以字行，後更字復甫，號白陽山人。初從文徵明習畫，而能自出新意。山水宗二米，創潑墨山水；畫花卉淡墨欹毫，發展了文人水墨寫意花鳥畫傳統。與徐渭并稱“青藤白陽”。

積雨重林圖（右圖）

明
陳道復
高121.9、寬40.5厘米。
紙本，水墨。
現藏上海博物館。

罨畫山圖

明

陳道復

高55、寬498.5厘米。

紙本，水墨。

現藏天津博物館。

雪渚驚鴻圖（上圖）

明

陳道復

高27.2、寬118.5厘米。

紙本，設色。

現藏故宮博物院。

合歡葵圖（下圖）

明

陳道復

高23.8、寬77厘米。

紙本，設色。

現藏故宮博物院。

花卉圖（選四開）

明

陳道復

高31.4、寬52.8厘米。

絹本，設色。共八開。

現藏重慶市博物館。

花卉圖之一

花卉圖之二

花卉圖之三

花卉圖之四

花果圖

明

陳道復

高34.5、寬528厘米。

紙本，水墨。

現藏上海博物館。

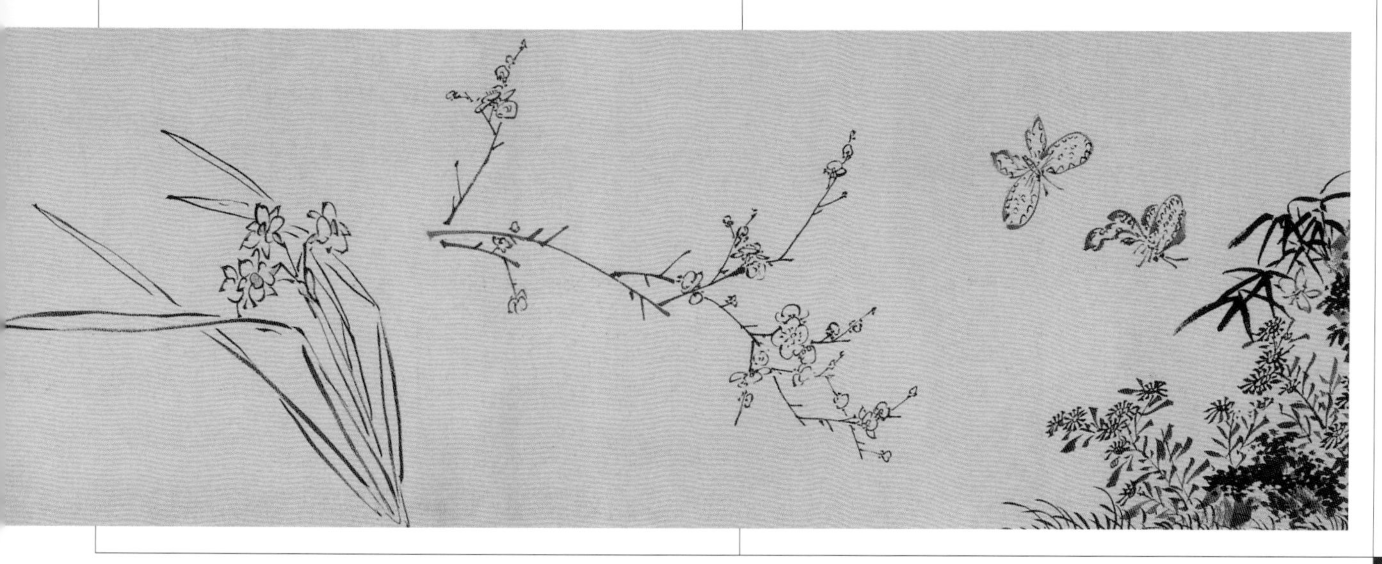

洛陽春色圖

明

陳道復

高26.2、寬111.3厘米。

紙本，設色。

現藏南京博物院。

謝時臣（公元1488－約1567年）

明代畫家。長洲（今江蘇蘇州）人。字思忠，號樗仙。工書善畫，長于山水，初學沈周，後又得戴進、吴偉筆意，筆勢豪放，設色淺淡，兼得浙、吴兩派之長。

文會圖

明

謝時臣

高28.9、寬121.6厘米。

絹本，水墨。

現藏上海博物館。

江山勝覽圖

明

謝時臣

高28、寬553.6厘米。

絹本，設色。

現藏上海博物館。

武當霽雪圖

明

謝時臣

高198.9、寬98.8厘米。

絹本，設色。

現藏上海博物館。

溪亭逸思圖（左圖）

明

謝時臣

高190.2、寬65.2厘米。

紙本，設色。

現藏故宫博物院。

林巒秋霽圖

明

謝時臣

高231.2、寬118.3厘米。

紙本，水墨。

現藏臺北故宫博物院。

陸　治（公元1496－1577年）

明代畫家。吴縣（今江蘇蘇州）人。字叔平，號包山子。工書善畫，曾師從祝允明、文徵明，長于山水、花卉、翎毛。山水多用焦墨皴擦。

梅石水仙圖

明

陸治

高32、寬63.6厘米。

絹本，設色。

現藏南京博物院。

竹林長夏圖

明

陸治

高176、寬75厘米。

絹本，設色。

現藏故宮博物院。

臨王履華山圖（選二開）

明

陸治

高33.9、寬49.4厘米。

紙本，水墨。共四十開。

現藏上海博物館。

臨王履華山圖之一

臨王履華山圖之二

幽居樂事圖（選二開）

明
陸治
高29.2、寬51.4厘米。
絹本，設色。共十開。
現藏故宮博物院。

幽居樂事圖之一

幽居樂事圖之二

花溪漁隱圖

明
陸治
高119.2、寬26.8厘米。
紙本，設色。
現藏臺北故宮博物院。

萬邦治

明代畫家。字石泉。嘉靖年間畫院畫家。長于人物，接近吴偉風貌。

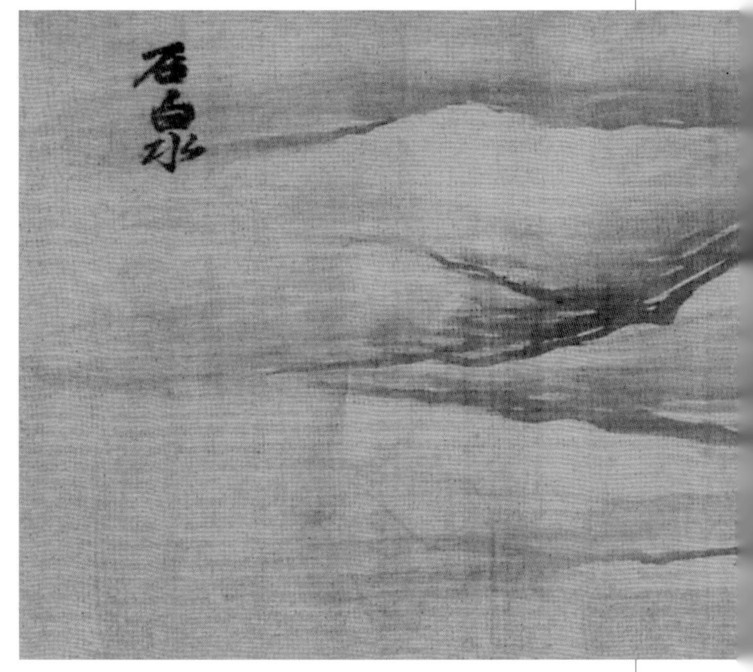

醉酒圖

明

萬邦治

高24.5、寬143厘米。

絹本，設色。

現藏廣東省博物館。

雷　濬

明代畫家。寧波（今屬浙江）人。擅繪事，花鳥法吕紀。

秋林覓句圖

明

萬邦治

高164.5、寬101厘米。

絹本，設色。

現藏天津博物館。

雪梅山禽圖

明

雷濬

高183.5、寬103厘米。

絹本，設色。

現藏天津博物館。